MATKALLE MUKAAN

SUOMI ENGLANTI SUOMI

SANAKIRJA

Toimittaneet Kirsti Tirkkonen
ja Marsa Luukkonen

GUMMERUS · JYVÄSKYLÄ · HELSINKI

3. painos

© Gummerus Kustannus Oy 1992

ISBN 951-20-3910-9

Gummerus Kirjapaino Oy
Jyväskylä 1992

KÄYTTÄJÄLLE

Sanakirjan sanastojen ja asioimislauseiden laadinnan lähtökohtana on ollut suomalaisen matkailijan ilmaisutarve käytännön elämän eri tilanteissa: matkalla omalla autolla ja julkisilla kulkuneuvoilla, perillä hotellissa, leirintäalueella tai muussa majoituksessa, ravintolassa, nähtävyyksiin tutustumassa, huvituksista ja kulttuurista nauttimassa, harrastusten parissa, erilaisissa pulmatilanteissa, ostoksilla sekä asioimassa mm. pankissa, postissa, autokorjaamolla, kampaajalla ja lääkärissä. Muun keskeisen perussanaston lisäksi sanakirjaan on valittu yleisimpiä sanoja etenkin juuri näiltä alueilta.

Sanat, joilla on useita erisisältöisiä merkityksiä, esiintyvät tässä tavallisimmissa ja yleisimmin käytetyissä merkityksissään. Joihinkin sellaisiin sanoihin, joilla on useampia yhtä yleisiä merkityksiä, on merkitty sulkeisiin tässä sanakirjassa annettu merkitys.

Hyvää ja antoisaa matkaa!

SISÄLLYS

LYHENTEET

adj	adjektiivi
adv	adverbi
c	suvuton
conj	konjunktio
f	feminiini
inter	interjektio
m	maskuliini
n	neutri
pl	monikko
prep	prepositio
v	verbi

ÄÄNTÄMISOHJEET

Aakkoset

a /ei/, b /bi:/, c /si:/, d /di:/, e /i:/, f /ef/, g /dʒi:/, h /eitʃ/, i /ai/, j /dʒei/, k /kei/, l /el/, m /em/, n /en/, o /əu/, p /pi:/, q /kju:/, r /a:(r)/, s /es/, t /ti:/, u /ju:/, v /vi:/, w /'dʌblju:/, x /eks/, y /wai/, z /zed/

Ääntäminen

Sanakirjassa on annettu jokaisen perussanaston sanan ääntämisohje sanan jälkeen vinoviivojen välissä. Sanan painon merkitsemiseen on käytetty heittomerkkiä painollisen tavun edessä. Pitkä vokaali on merkitty kaksoispisteellä. Ääntämisohjeissa on käytetty seuraavia erikoismerkkejä:

Merkki	Ääntäminen	Esimerkki
ʌ	lyhyt a	but /bʌt/
ɔ	avonainen o	hall /hɔ:l/
æ	ä	fan /fæn/
ə	avonainen ja painoton ö	banana /bə'na:nə/
ɜ	ö	return /ri'tɜ:n/
ʒ	soinnillinen suhuäänne	danger /'deindʒə/
ʃ	suhuäänne	shoe /ʃu:/
ŋ	äng-äänne	fishing /'fiʃiŋ/
ð	soinnillinen th-äänne	they /ðei/
θ	soinniton th-äänne	thing /θiŋ/
z	soinnillinen, terävä s	zoo /zu:/

PERUSSANASTO SUOMI/ENGLANTI

A

aalto wave /'weiv/

aamiainen breakfast /'brekfəst/

aamu morning /'mɔ:niŋ/

aamukahvi early morning coffee /'ɜ:li 'mɔ:niŋ 'kofi/

aamutakki dressing gown /'dresiŋ gaun/

aatto eve /i:v/

abortti abortion /ə'bɔ:ʃn/

ahdas narrow, tight /'nærəu, tait/

ahdistella harass /'hærəs/

ahne greedy /'gri:di/

ahven perch /pɜ:tʃ/

aihe subject /'sʌbdʒikt/

aika time /taim/

aikaisin early /'ɜ:li/

aikakauslehti magazine /mægə'zi:n/

aikana during /'djuəriŋ/

aikataulu timetable /'taimteibl/

aikomus intention /in'tenʃn/

aina always /'ɔ:lweiz/

aito genuine /'dʒenjuin/

aivot brain /brein/

ajaa (autoa) drive /draiv/

ajaa ohi pass /pa:s/

ajaa parta shave /ʃeiv/

ajaja driver /'draivə/

ajanvaraus appointment /ə'pɔintmənt/

ajanviete entertainment /entə'teinmənt/

ajatella think /θiŋk/

ajatus thought /θɔ:t/

ajelu drive /draiv/

ajoittainen at times /ət taimz/

ajokilometri kilometre /'kiləmi:tə/

ajokortti driving licence /'draiviŋ 'laisns/

akku battery /'bætəri/

akryyli acrylic /ə'krilik/

akseli axle /'æksəl/

akuutti acute /ə'kju:t/

akvaario aquarium /ə'kweəriəm/

alas down /daun/

alaston naked /'neikid/

alavuode lower berth /ləuə bɜ:θ/

alennus discount /'diskaunt/

alennusmyynti sale /seil/

alkaa begin /bi'gin/

alkoholi alcohol /'ælkəhol/

alkoholiliike off-licence /of 'laisns/

alku beginning /bi'giniŋ/

alkupala appetizer /'æpitaizə/

alla under /'ʌndə/
allekirjoittaa sign /sain/
allekirjoitus signature /'signətʃə/
allergia allergy /'ælədʒi/
allerginen allergic /ə'lədʒik/
alpakka alpaca /æl'pækə/
alue district /'distrikt/
alushame petticoat /'petikəut/
alushousut pants /pænts/
alushousut (lyhyet) briefs /bri:fs/
alushousut (miesten) underpants /'ʌndəpænts/
alushousut (naisten) panties /'pæntiz/
aluspaita vest /vest/
alusvaatteet underwear /'ʌndəweə/
ambulanssi ambulance /'æmbjuləns/
ammatti profession /prə'feʃn/
ampua shoot /ʃu:t/
amuletti amulet /'æmjulit/
ananas pineapple /'painæpl/
anjovis anchovy /'æntʃəvi/
ankerias eel /i:l/
ankka duck /dʌk/
annos portion /'pɔːʃn/

annos (lääkea.) dose /dəus/
anoa ask for /a:sk fɔ:/
ansaita earn /ɜ:n/
ansio profit /'profit/
antaa give /giv/
antaa anteeksi forgive /fə'giv/
antaa lainaksi lend /lend/
anteeksi! sorry! /'sori/
anteeksipyyntö excuse /ik'skju:s/
antibiootti antibiotic /æntibai'otik/
antiikki antiquity /æn'tikwəti/
antiikkiesineet antiques /ænti:ks/
antiikkiliike antique shop /æn'ti:k ʃop/
antiseptinen antiseptic /ænti'septik/
aperitiivi aperitif /ə'perətif/
appelsiini orange /'orindʒ/
appelsiinijuoma orangeade /orindʒ'eid/
appelsiinimehu orange juice /'orindʒ dʒu:s/
aprikoosi apricot /'eiprikot/
apteekki chemist's /'kemists/
apua! help! /help/
arkipäivä weekday /'wi:kdei/

arkkitehti architect /ˈɑːkitekt/

arkkitehtuuri architecture /ˈɑːkitektʃə/

armeija army /ˈɑːmi/

artisokka artichoke /ˈɑːtitʃəuk/

arvata guess /ges/

arvo value, worth /ˈvæljuː, wɜːθ/

arvoesineet valuables /ˈvæljuəblz/

arvoton worthless /ˈwɜːθləs/

ase gun /gʌn/

asema (rautatiea.) station /ˈsteiʃn/

asemalaituri platform /ˈplætfɔːm/

asenne attitude /ˈætitjuːd/

asettaa lay /lei/

asia matter /ˈmætə/

asianajaja lawyer /ˈlɔːjə/

asiantuntija expert /ˈekspɜːt/

askel step /step/

asti (ajasta) till, (paikasta) as far as /til, əz fɑː(r) əz/

astma asthma /ˈæsmə/

asua live, reside /liv, riˈzaid/

asukas inhabitant /inˈhæbitənt/

asunto flat /flæt/

asuntovaunu caravan, camper /ˈkærəvæn, ˈkæmpə/

ateria meal /miːl/

auki open /ˈəupən/

aula hall /hɔːl/

auringon polttama sunburnt /ˈsʌnbɜːnt/

auringonlasku sunset /ˈsʌnset/

auringonnousu sunrise /ˈsʌnrais/

auringonpisto sunstroke /ˈsʌnstrəuk/

auringonvarjo sunshade /ˈsʌnʃeid/

aurinko sun /sʌn/

aurinkokylpy sunbath /ˈsʌnbɑːθ/

aurinkolasit sunglasses /ˈsʌnglɑːsiz/

aurinkoöljy suntan oil /ˈsʌntæn ɔil/

autiomaa desert /ˈdezət/

auto car /kɑː/

autokorjaamo garage /ˈgærɑːʒ/

automaattinen automatic /ɔːtəˈmætik/

autonrengas tyre /ˈtaiə/

autopuhelin car phone /kɑː fəun/

autoradio car radio /kɑː ˈreidiəu/

autotalli garage /ˈgærɑːʒ/

autovuokraamo car rental /kɑː ˈrentl/

auttaa help /help/

avain key /ki:/
avata open /ˈəupən/
avioero divorce /diˈvɔːs/
avioliitto marriage
/ˈmæridʒ/

aviomies husband
/ˈhʌzbənd/
avoin open /ˈəupən/

B

baari bar /baː/
baletti ballet /ˈbælei/
banaani banana
/bəˈnaːnə/
beige beige /beiʒ/
bensatankki petrol tank
/ˈpetrəl tæŋk/

bensiini petrol /ˈpetrəl/
bensiiniasema petrol
station /ˈpetrəl steiʃn/
bikinit bikini /biˈkiːni/
bussi bus /bʌs/
bussipysäkki bus stop
/bʌs stop/

C

cocktail cocktail
/ˈkokteil/

cocktailkutsut cocktail
party /ˈkokteil paːti/

D

demokratia democracy
/diˈmokrəsi/
deodorantti deodorant
/diːˈəudərənt/
desinfioida disinfect
/disinˈfekt/
diakuva slide /slaid/

disketti floppy disk
/ˈflopi disk/
diskoteekki
discotheque /ˈdiskətek/
dollari dollar /ˈdolə/
draama drama
/ˈdraːmə/

E

edelleen further /'fɜ:ðə/

edessä in front of /in frʌnt əv/

edestakainen return ticket /ri'tɜ:n 'tikit/

edistys progress /'prəugres/

edustaja representative /repri'zentətiv/

EEC Common Market /'komən 'ma:kit/

ehdottaa propose /prə'pəus/

ehdotus suggestion /sə'dʒestʃən/

ehjä whole /həul/

ehkä perhaps /pə'hæps/

ehkäistä prevent /pri'vent/

ehkäisyväline contraceptive /kontrə'septiv/

ehto condition /kən'diʃn/

ehtoollinen communion /kə'mju:niən/

ei no, not /nəu, not/

ei ... eikä neither ... nor /'naiðə ... nɔ:/

ei koskaan never /'nevə/

ei kukaan nobody /'nəubədi/

ei mitään nothing /'nʌθiŋ/

ei yhtään none /nʌn/

eilen yesterday /'jestədi/

eksyä lose one's way /lu:z wʌnz wei/

eli or /ɔ:/

eloisa lively /'laivli/

elokuu August /'ɔ:gəst/

elokuva film, movie /film, 'mu:vi/

elokuvakamera movie camera /'mu:vi 'kæmərə/

elokuvateatteri cinema /'sinəmə/

elonkorjuu harvest /'ha:vist/

eläin animal /'æniml/

eläinlääkäri veterinary surgeon /'vetrinəri 'sɜ:dʒən/

eläintarha zoo /zu:/

eläkkeellä oleva retired /ri'taiəd/

elämys experience /ik'spiəriəns/

elämä life /laif/

elävä alive /ə'laiv/

elää live /liv/

emali enamel /i'næml/

emäntä hostess /'həustis/

endiivi endive /'endiv/

enemmän more /mɔ:/

eniten most /məust/

ennakko advance /əd'va:ns/

ennakkoluulo prejudice /'predʒudis/

ennen before /bi'fɔ:/

eno uncle /'ʌŋkl/

ensi next /nekst/

ensiapu first-aid /fɜ:st eid/

ensimmäinen first /fɜ:st/

ensimmäinen luokka (esim. junassa) first class /fɜ:st klɑːs/

epidemia epidemic /epi'demik/

epäillä doubt /daut/

epäjärjestys disorder /dis'ɔ:də/

epäkohtelias impolite /impə'lait/

epäkunnossa out of order /aut əv 'o:də/

epämiellyttävä unpleasant /ʌn'pleznt/

erehdys mistake /mi'steik/

erehtyä be mistaken /bi: mi'steikn/

erikoisala speciality /speʃi'æləti/

erikoisesti especially /i'speʃəli/

erikoislääkäri specialist /'speʃəlist/

erilainen different /'difrənt/

erillinen separate /'seprət/

erinomainen excellent /'eksələnt/

erittäin especially /i'speʃəli/

eronnut divorced /di'vɔ:st/

esikaupunki suburb /'sʌbɜːb/

esimerkki example /ig'zɑmpl/

esine thing /θiŋ/

esitellä introduce /intrə'djuːs/

esitelmä lecture /'lektʃə/

estää prevent /pri'vent/

etana snail /sneil/

eteenpäin forward /'fɔ:wəd/

eteinen lobby /lobi/

etelä south /sauθ/

etikka vinegar /'vinigə/

etsiä search, look for /sɜ:tʃ, luk fɔ:/

että that /ðæt/

etu advantage /əd'vɑ:ntidʒ/

etunimi first name /fɜ:st neim/

etupuoli front /frʌnt/

etäisyys distance /'distəns/

Euroopan yhteisö, EY European Community, EC /juərə'piən kə'mjuːnəti (iːsiː)/

eväät packed lunch /pækt lʌntʃ/

F

farmarit jeans /dʒiːnz/
fasaani pheasant
　/ˈfeznt/
filee fillet /ˈfilit/
filmi film /film/
flanelli flannel /ˈflænl/

flunssa flu /fluː/
frangi franc /fræŋk/
frotee terry cloth /ˈteri
　kloθ/
fyysinen physical
　/ˈfizikl/

G

golfkenttä golf course
　/golf kɔːs/
golfmaila golf club /golf
　klʌb/
grafiikka graphics
　/ˈgræfiks/

greippi grapefruit
　/ˈgreipfruːt/
grillattu grilled /grild/
gynekologi
　gynaecologist
　/gaini'kolədʒist/

H

haamu ghost /gəust/
haarukka fork /fɔːk/
haastaa oikeuteen sue
　/sjuː/
haava wound /wuːnd/
haavalaastari sticking
　plaster /stikiŋ plaːstə/
haavoittunut wounded
　/wuːndid/
haista smell /smel/
haju smell /smel/
hajuvesi perfume
　/ˈpɜːfjuːm/
hakaneula safety pin
　/ˈseifti pin/

halkeama (pieni) crack
　/kræk/
hallitus government
　/ˈgʌvənmənt/
haloo! hello! /həˈləu/
halpa cheap /tʃiːp/
halvautunut paralysed
　/ˈpærəlaist/
halvempi cheaper
　/tʃiːpə/
hame skirt /skɜːt/
hammas tooth /tuːθ/
hammasharja
　toothbrush /ˈtuːθbrʌʃ/
hammaslääkäri dentist
　/ˈdentist/

hammassärky toothache /'tu:θeik/

hammastahna tooth paste /tu:θ peist/

hankkia procure /prə'kjuə/

hansikas glove /glʌv/

hapan sour /'sauə/

harja brush /brʌʃ/

harjoitella practise, train /'præktis, trein/

harjoitus exercise /'eksəsaiz/

harkita consider /kən'sidə/

harmaa grey /grei/

hartia shoulder /'ʃəuldə/

harvat few /fju:/

harvinainen rare /reə/

harvoin seldom /'seldəm/

hattu hat /hæt/

hattukauppa milliner's /'milinə:s/

haudattu buried /'berid/

hauska funny /fʌni/

hauta tomb /tu:m/

hautajaiset funeral /'fju:nərəl/

hautausmaa cemetery /'semətri/

he they /ðei/

hedelmä fruit /fru:t/

hehkulamppu bulb /bʌlb/

heil hello! /hə'ləu/

heidän their /ðeə(r)/

heijastaa reflect /ri'flekt/

heijastin reflector /ri'flektə(r)/

heikko weak /wi:k/

heikottaa feel faint /fi:l feint/

heinäkuu July /dʒu:'lai/

heittää throw /θrəu/

helikopteri helicopter /'helikoptə(r)/

helle heat /hi:t/

helluntai Whitsun /'witsn/

helmi pearl /pɜ:l/

helmikuu February /'februəri/

helmiäinen mother-of-pearl /'mʌðə(r) əv pɜ:l/

helppo easy /'i:zi/

helvetti hell /hel/

hemmotella spoil /spɔil/

hengenpelastaja lifeguard /laifga:d/

hengenvaara danger to life /'deindʒə tə laif/

hengittää breathe /bri:ð/

henkari hanger /'hæŋə(r)/

henkilö person /'pɜ:sn/

henkilöjuna passenger train /'pæsindʒə trein/

henkilökohtainen personal /'pɜ:sənl/

henkilökunta staff /sta:f/

henkilöpuhelu person-to-person call /'pɜ:sn tə 'pɜ:sn kɔ:l/

herkku delicacy
/'delikəsi/

herkkumyymälä delicatessen
/delikə'tesn/

herkkusieni mushroom
/'mʌʃrum/

herkkä sensitive
/'sensətiv/

herkullinen delicious
/di'liʃəs/

hermo nerve /nɜːv/

hermostunut nervous
/'nɜːvəs/

herneet peas /piːz/

herra mister, Mr
/'mistə/

herttainen nice /nais/

herättää wake up, waken /weik ʌp, 'weikn/

herätys wake up /weik ʌp/

herätyskello alarm-clock /ə'laːrm klok/

herätä wake up /weik ʌp/

heti immediately
/i'miːdiətli/

hetki moment
/'məumənt/

hetkinen! just a moment! /dʒʌst ə 'məumənt/

hevonen horse /hɔːs/

hidas slow /sləu/

hiekka sand /sænd/

hieno exclusive, fine
/ik'skluːsiv, fain/

hieroa rub /rʌb/

hieronta massage
/'mæsaːʒ/

hiha sleeve /sliːv/

hihna strap /stræp/

hiihtohissi ski-lift /skiː lift/

hiihtokeskus ski resort
/skiː ri'zɔːt/

hiihtovarusteet skiing equipment /skiːiŋ i'kwipmənt/

hiihtäminen skiing
/skiːiŋ/

hiihtää ski /skiː/

hiili coal /kəul/

hiiri mouse /maus/

hikoilla sweat /swet/

hiljaisuus silence
/'sailəns/

hillo jam /dʒæm/

hinta price /prais/

hiottu cut /kʌt/

hirveä terrible /'terəbl/

hissi lift /lift/

hissipoika lift boy /lift bɔi/

historia history /'histri/

hitaammin more slowly
/mɔː sləuli/

hiukan any /'eni/

hiuslakka hair spray
/heə sprei/

hiusneula hair pin /heə pin/

hiustenhoito hair care
/heə keə/

hiustenhoitoaine hair conditioner /heə kən'diʃnə/

hiustenpesu hair wash /heə woʃ/

hiustenpesuaine shampoo /ʃæm'pu:/

hohtaa shine /ʃain/

hoito treatment /'tri:tmənt/

homeinen mouldy /'məuldi/

hopea silver /'silvə/

hopeanvärinen silver /'silvə/

hopeinen silver /'silvə/

hopeoitu silver-plated /'silvə pleitid/

hotelli hotel /həu'tel/

hotellipoika bellboy /'belbɔi/

hotelliseteli voucher /'vautʃə(r)/

houkutella tempt /tempt/

housut trousers /'trauzəz/

huhtikuu April /'eiprəl/

huhu rumour /'ru:mə/

huijata swindle /'swindl/

huimata dizzy /'dizi/

huippu top, summit /top, 'sʌmit/

hukkua drown /draun/

hullu crazy /'kreizi/

humaltunut drunk /drʌŋk/

hummeri lobster /'lobstə/

hunaja honey /'hʌni/

huolehtia worry /'wʌri/

huolestua get worried /get 'wʌri:d/

huoltoasema service station /'sɜ:vis 'steiʃn/

huomata notice /'nəutis/

huomautus remark /ri'ma:k/

huomenna tomorrow /tə'mɔrəu/

huone room /ru:m/

huoneisto flat /flæt/

huonekalut furniture /'fɜ:nitʃə/

huonepalvelu room service /ru:m 'sɜ:vis/

huonevaraus room reservation /ru:m rezə'veiʃn/

huono bad /bæd/

huonokuntoinen (esim. tie) in a bad shape /in ə bæd ʃeip/

huonompi worse /wɜ:s/

huono-onninen unlucky /ʌn'laki/

huopa blanket /'blæŋkit/

huuli lip /lip/

huulipuna lipstick /'lipstik/

huulirasva lip-salve /lip sælv/

huumeet narcotics /na:'kotiks/

huumori humour /'hju:mə/

huutaa shout, cry /ʃaut, krai/

huvi fun /fʌn/

huvittava amusing /ə'mju:siŋ/

huvitus amusement /ə'mju:zmənt/

hylätä leave /li:v/

hymyillä smile /smail/

hypätä jump /dʒʌmp/

hytti (laivassa) cabin /'kæbin/

hyvin well /wel/

hyvä good /gud/

hyväksyä accept, approve /ək'sept, ə'pru:v/

hyvää huomenta! good morning! /gud 'mɔ:niŋ/

hyvää iltaa! good evening! /gud 'i:vniŋ/

hyvää päivää! good afternoon! /gud a:ftə'nu:n/

hyvää yötä! good night! /gud nait/

hyytelö jelly /'dʒeli/

hyödyllinen useful /'ju:sfl/

hyödytön useless /'ju:sləs/

hyökkäys attack, assault /ə'tæk, ə'sɔ:lt/

hyökätä attack /ə'tæk/

hyönteinen insect /'insekt/

hyönteisenpisto insect bite /'insekt bait/

hyöty, ansio profit /'profit/

häiritä disturb /di'stɜ:b/

hämmentynyt confused /kən'fju:zt/

hämmästyttävä amazing /ə'meiziŋ/

hämähäkki spider /'spaidə/

hän he m /hi:/, she f /ʃi:/

hänen his m /hiz/, her f /hə:/

häränliha beef /bi:f/

hätäpuhelin emergency telephone /i'mɜdʒənsi 'telifəun/

hätätapaus emergency /i'mɜ:dʒənsi/

häät wedding /'wediŋ/

hölynpöly nonsense /'nonsns/

höyry steam /sti:m/

I

idea idea /ai'diə/

ihailla admire /əd'maiə/

ihastunut delighted /di'laitid/

ihme miracle /'mirəkl/

ihmeellinen wonderful /'wʌndəfl/

ihmiset people /'pi:pl/

iho skin /skin/
ihottuma rash /ræʃ/
ikkuna window /windəu/
ikkunaluukku shutters /'ʃʌtəs/
ikä age /eidʒ/
ikään kuin as though /əz ðəu/
illallinen supper /'sʌpə/
ilma air /eə/
ilmainen free, gratis /fri:, 'greitis/
ilmaisu expression /ik'spreʃn/
ilman without /wið'aut/
ilmasto climate /'klaimit/
ilmastointi air conditioning /eə kən'diʃniŋ/
ilmoittautuminen registration /redʒi'streiʃn/
ilmoitus message /'mesidʒ/
ilo joy /dʒɔi/
iloinen glad /glæd/
ilta evening, night /'i:vniŋ, nait/
iltajumalanpalvelus evening service /'i:vniŋ 'sɜ:vis/
iltapuku evening dress /'i:vniŋ dres/
iltapäivä afternoon /a:ftə'nu:n/

influenssa influenza /influ'enzə/
informaatio information /infə'meiʃn/
innokas eager /i:gə/
invalidi invalid, disabled person /'invəlid, dis'eibld 'pɜ:sən/
isku blow /bləu/
iskunvaimennin shock absorber /ʃok əb'sɔ:bə/
iso big /big/
isoisä grandfather /'grændfa:ðə/
isompi bigger /bigə/
isoäiti grandmother /'grændmʌðə/
istua sit /sit/
istuutua sit down /sit daun/
isä father /'fa:ðə/
isäntä host /həust/
itkeä weep, cry /wi:p, krai/
itsenäinen independent /indi'pendənt/
itsenäisyyspäivä independence day /indi'pendəns dei/
itsepalvelu self service /self sɜ:vis/
itsepäinen stubborn /'stʌbən/
itsestäänsiliävä non-iron /non 'aiən/
itä east /i:st/

J

ja and /ænd/
jakaa share, divide /ʃeə, di'vaid/
jalankulku kielletty no pedestrians /nəu pi'destriəns/
jalka foot /fut/
jalkapallo football /'futbɔ:l/
jalokivi jewel /'dʒu:əl/
jalokivikauppias jeweller /'dʒu:ələ/
jalusta (kameran) base /beis/
jarruneste brake fluid /breik 'flu:id/
jarrupoljin brake pedal /breik 'pedl/
jarrut brakes /breiks/
jarruvalot brake lights /breik laits/
jatkaa continue /kən'tinju:/
jatkoyhteys (matkalla) connection /kə'nekʃn/
jatkuva continuous /kən'tinjuəs/
jo already /ɔ:l'redi/
johonkin somewhere /'sʌmweə(r)/
johtaa lead /li:d/
johtaja leader, manager /'li:də, 'mænidʒə/
joka which, who /witʃ, hu:/

joka ainoa everybody /'evribodi/
jokainen every /'evri/
joki river /'rivə/
jokilaiva river boat /'rivə bəut/
joko ... tai either ... or /'aiðə ... ɔ:/
jokseenkin rather /'ra:ðə/
joku someone, somebody /'sʌmwʌn, 'sʌmbədi/
jono queue /kju:/
jos if /if/
joskus sometimes /'sʌmtaimz/
joukkue team /ti:m/
joukossa among /ə'mʌŋ/
joulu Christmas /'krisməs/
joulukuu December /di'sembə/
jousi spring /spriŋ/
juhannus midsummer /mid'sʌmə/
juhlapäivä festival /'festivl/
juhlat party /'pa:ti/
julkinen public /'pʌblik/
julma cruel /kruəl/
Jumala God /god/
jumalanpalvelus church/worship service /'tʃɜːʃ wɜːʃəp 'sɜ:vis/

juna train /trein/

juna-aikataulu timetable for trains /'taimteibl fə treins/

junailija conductor /kən'dʌktə/

junailijanvaunu conductor's car /kən'dʌktəs ka:/

juoda drink /driŋk/

juomaraha tip /tip/

juomavesi drinking water /driŋkiŋ 'wɔ:tə/

juoru gossip /'gosip/

juosta run /rʌn/

jutella chat /tʃæt/

juuri root /ru:t/

juusto cheese /tʃi:z/

juuttua get stuck /get stʌk/

jyrkkä steep /sti:p/

jäljitelmä imitation /imi'teiʃn/

jälkeen after /'a:ftə/

jälkiruoka dessert /di'zɜːt/

jälleen again /ə'gen/

jänne (anat.) tendon /'tendən/

jännite (sähkön) voltage /'vəultidʒ/

jännitys tension /'tenʃn/

jännityselokuva thriller /θrilə/

järjestää arrange /ə'reindʒ/

järjestö organization /ɔːgənai'zeiʃn/

järkevä reasonable /'ri:znəbl/

järkytys shock /ʃok/

järvi lake /leik/

jäsen member /'membə/

jätteet garbage /'ga:bidʒ/

jättää leave /li:v/

jäykkä stiff /stif/

jäykkäkouristus tetanus /'tetənəs/

jää ice /ais/

jäädä stay /stei/

jäähdytin radiator /'reidieitə/

jääkaappi refrigerator /ri'fridʒəreitə/

jäätelö ice-cream /ais'skri:m/

jäätynyt frozen /frəuzn/

jäävesi ice water /ais 'wɔ:tə/

K

kaakao cocoa /'kəukəu/

kaali cabbage /'kæbidʒ/

kaappi cupboard /'kʌbəd/

kaasutin carburettor /ka:bju'retə/

kaataa pour /pɔ:/

kabaree cabaret /'kæbərei/

kadehtia envy /'envi/

kadota disappear /disə'piə/

kadottaa lose /luiz/

kahden hengen huone double room /'dʌbl ru:m/

kahdesti twice /twais/

kahvi coffee /'kofi/

kahvila café /'kæfei/

kahvinkeitin coffee maker /'kofi meikə/

kaikki all /ɔːl/

kaikkialla everywhere /'evriweə/

kaiutin loudspeaker /laud'spiːkə/

kaivaa dig /dig/

kaivata miss, long for /miss, loŋ fɔː/

kaivo well /wel/

kaivos mine /main/

kakku cake /keik/

kaksinkertainen double /'dʌbl/

kaksoisvuode double bed /'dʌbl bed/

kala fish /fiʃ/

kalakauppa fishmonger's /fiʃmʌŋgəs/

kalastaa fish /fiʃ/

kalastuslupa fishing permit /fiʃiŋ 'pɜːmit/

kalastusretki fishing trip /fiʃiŋ trip/

kallio rock /rok/

kallis expensive /ik'spensiv/

kallisarvoinen precious /'preʃəs/

kalpea pale /peil/

kalustamaton unfurnished /ʌn'fɜːniʃt/

kalustettu furnished /fɜːniʃt/

kalvokynä marker for projector /maːkə fə prə'dʒektə/

kalvosinnapit cufflinks /kʌfliŋks/

kamala awful /'ɔːfl/

kamelinkarva camel's hair /'kæmls heə/

kamera camera /'kæmərə/

kameralaukku camera bag /'kæmərə bæg/

kampa comb /kəum/

kampaaja ladies' hairdresser /'leidiːz 'heədresə/

kampaamo hairdresser's /'heədresəz/

kampaus hair-do /'heəduː/

kana hen /hen/

kananmuna egg /eg/

kananpoika chicken /'tʃikin/

kangas cloth /kloθ/

kangaskauppa draper's /'dreipəz/

kanisteri canister /'kænistə/

kannettava portable /'pɔ:təbl/

kansainvälinen international /intə'næʃnəl/

kansakunta nation /'neiʃn/

kansallisooppera national opera /'næʃnəl 'oprə/

kansallispäivä national day /'næʃnəl dei/

kansallisteatteri national theatre /næʃnəl 'θiətə/

kansallistunnus (autossa) country's identification sign /'kʌntriz aidentifi'keiʃn sain/

kansallisuus nationality /næʃə'næləti/

kansi lid /lid/

kanssa with /wið/

kantaa carry /'kæri/

kantaja porter /'pɔ:tə/

kantapää heel /hi:l/

kantatie main road /mein rəud/

kantosiipialus hydrofoil boat /'haidrəfɔil bəut/

kapea narrow /'nærəu/

kapellimestari conductor /kən'dʌktə/

kapteeni captain /'kæptin/

karaatti carat /'kærət/

karnevaali carnival /'ka:nivl/

kartonki (pakkaus) carton /'ka:tn/

kartta map /mæp/

kasetti magnetic tape /'mægnitik teip/

kasettinauhuri tape recorder /teip ri'kɔ:də/

kasino casino /kə'si:nəu/

kassa cashier /kə'ʃiə/

kassakaappi safe /seif/

kassi bag /bæg/

kastike sauce /sɔ:s/

kasvaa grow /grəu/

kasvatus upbringing /'ʌpbriŋiŋ/

kasvissyöjä vegetarian /vedʒi'teəriən/

kasvitieteellinen puutarha botanical garden /bə'tænikl 'ga:dn/

kasvojenhoito face treatment /feis 'tri:tmənt/

kasvot face /feis/

kasvovesi face lotion /feis 'ləuʃn/

katkaisin (sähkök.) switch /switʃ/

katkaista sähkö turn off /tɜ:rn of/

katkarapu shrimp /ʃrimp/

katkennut broken /'brəukən/

katkera bitter /'bitə/

katolilainen Catholic
/'kæθəlik/

katselija spectator
/spek'teitə/

katsella watch /wotʃ/

katsoa look at /luk æt/

kattila kettle /'ketl/

katto roof /ru:f/

katu road, street /rəud,
stri:t/

katua regret /ri'gret/

kauhea awful /'ɔ:fl/

kaukana far away /fa:r
ə'wei/

kaukojuna
long-distance train /loŋ
'distəns trein/

kauko-objektiivi
telescope objective
/'teliskəup əb'dʒektiv/

kaukopuhelu
long-distance call /loŋ
'distəns kɔ:l/

kaukovalot high beam
/hai bi:m/

kaula neck /nek/

kaulaketju chain /tʃein/

kaulakoru necklace
/'neklis/

kaulaliina scarf /ska:f/

kaulus collar /'kolə/

kauneushoitola beauty
salon /'bju:ti 'sælon/

kaunis beautiful
/'bju:tifl/

kauppa shop /ʃop/

kaupungintalo city hall
/'siti hɔ:l/

kaupunki town, city
/taun, 'siti/

kaventaa take in /teik
in/

kehittää develop
/di'veləp/

kehys frame /freim/

keinotekoinen artificial
/a:ti'fiʃl/

keinovalo artifial light
/a:ti'fiʃl lait/

keitetty kananmuna
boiled egg /bɔild eg/

keittiö kitchen /'kitʃin/

keitto soup /su:p/

keittää cook /kuk/

keksi biscuit /'biskit/

keli road conditions
/rəud kən'diʃns/

kellari cellar, basement
/'selə, 'beismənt/

kello watch /wotʃ/

kellonremmi watch
strap /wotʃ stræp/

kelloseppä watchmaker
/'wotʃmeikə/

kellua float /fləut/

keltainen yellow /'jeləu/

kemiallinen pesula dry
cleaning /drai kli:niŋ/

kemikaalikauppa
chemist's /'kemists/

kenen whose /hu:z/

kengännauha shoelace
/'ʃu:leis/

kengännumero size of
shoes /saiz əv ʃu:s/

kenkä shoe /ʃu:/

kenkäkauppa shoe shop /ʃu: ʃop/

kenkävoide shoe polish /ʃu: 'poliʃ/

kennel kennel /'kenl/

kenttä field /fi:ld/

keramiikka ceramics /si'ræmiks/

kerjäläinen beggar /'begə/

kerma cream /kri:m/

kermanvärinen cream-coloured /kri:m 'kʌləd/

kerran once /wʌns/

kerros floor, storey /flɔ:, stɔ:ri/

kerrospalvelija maid /meid/

kerta time /taim/

kertoa tell /tel/

kertomus story /'stɔ:ri/

kerätä collect /kə'lekt/

keräys collection /kə'lekʃn/

keskellä in the middle of /in ðə midl əv/

keskenmeno miscarriage /mis'kæridʒ/

keskeyttää interrupt /intə'rʌpt/

keski- medium /'mi:diəm/

keskiaika Middle Ages /'midl eidʒiz/

keskikohta middle /'midl/

keskiolut medium-strength beer /'mi:diəm streŋθ biə/

keskipäivä noon /nu:n/

keskiviikko Wednesday /'wenzdi/

keskivuode middle berth /midl bɜ:θ/

keskiyö midnight /'midnait/

keskus centre /'sentə/

keskuslämmitys central heating /'sentrəl 'hi:tiŋ/

keskusta centre /'sentə/

keskustella discuss /di'skʌs/

keskustelu conversation /konvə'seiʃn/

kestää last /la:st/

kesä summer /'sʌmə/

kesäaika summer time /'sʌmə taim/

kesäkuu June /dʒu:n/

kesäloma summer vacation /'sʌmə və'keiʃn/

kesämökki cottage /'kotidʒ/

ketju chain /tʃein/

keuhko lung /lʌŋ/

keuhkokuume pneumonia /nju:'məuniə/

kevyt light /lait/

kevät spring /spriŋ/

kiehua boil /bɔil/

kieli language
/'læŋgwidʒ/
kieli (anat.) tongue /tʌŋ/
kielletty forbidden
/fə'bidn/
kieltäytyä refuse
/ri'fju:z/
kieltää forbid /fə'bid/
kiertoajelu sightseeing
tour /saitsi:iŋ tuə/
kiertomatka tour /tuə/
kiertotie detour /'di:tuə/
kiharat curls /kз:ls/
kihlasormus
engagement ring
/in'geidʒmənt riŋ/
kihlattu fiancé(e)
/fi'onsei/
kiikari binoculars
/bi'nokjuləz/
kiillottaa polish /'poliʃ/
kiinni closed /kləust/
kiinnostava interesting
/'intrəstiŋ/
kiinnostus interest
/'intrəst/
kiinteä solid, fast
/'solid, fa:st/
kiire hurry /'hʌri/
kiireellinen urgent
/'з:dʒənt/
kiiruhtaa hurry /'hʌri/
kiitollinen grateful
/'greitfl/
kiitos! thank you! /θæŋk
ju:/
kiittää thank /θæŋk/
kiivetä climb /klaim/

kilpailu competition
/kompə'tiʃn/
kilpajuoksu race /reis/
kilpikonna turtle /'tз:tl/
kinkku ham /hæm/
kippis! cheers! /tʃiəz/
kipsi (lääket.) plaster
/'pla:stə/
kipu pain /pein/
kirja book /buk/
kirjailija author /'ɔ:θə/
kirjain letter /'letə/
kirjakauppa bookshop
/'bukʃop/
kirjasto library
/'laibrəri/
kirjattu registered mail
/'redʒistə:d meil/
kirje letter /'letə/
kirjekuori envelope
/'envələup/
kirjelaatikko letter-box
/'letə boks/
kirjepaperi writing
paper /'raitiŋ peipə/
kirjoittaa write /rait/
kirjoituskone typewriter
/'taipraitə/
kirjoituskoneennauha
typewriter ribbon
/'taipraitə 'ribən/
kirjoituslehtiö writing
pad /'raitiŋ pæd/
kirjonta embroidery
/im'brɔidəri/
kirkas clear /kliə/
kirkko church /tʃз:tʃ/
kirsikka cherry /'tʃeri/
kissa cat /kæt/

kitara guitar /gi'ta:/

kiusata tease /ti:s/

kivennäisvesi mineral water /'minərəl 'wɔ:tə/

kivi stone /stəun/

klassinen classic(al) /'klæsik(l)/

koe test /test/

kohottaa raise /reiz/

kohta spot /spot/

kohtelias polite /pə'lait/

kohtelu treatment /'tri:tmənt/

kohti towards /tə'wɔ:dz/

koira dog /dog/

koirahoitola kennel /'kenl/

kokemus experience /ik'spiəriəns/

kokki cook /kuk/

koko size /saiz/

kokous meeting /mi:tiŋ/

kolari crash /kræʃ/

kolikko coin /kɔin/

komea handsome /'hænsəm/

komedia comedy /'komədi/

kommunismi communism /'komjunizm/

konditoria confectionery /kən'fekʃənəri/

konduktööri conductor /kən'dʌktə/

kone engine, machine /'endʒin, mə'ʃi:n/

konekirjoittaja typist /'taipist/

konekirjoituspaperi typing paper /'taipiŋ 'peipə/

konerikko breakdown /'breikdaun/

kongressi congress /'koŋgres/

konsertti concert /'konsət/

konserttitalo concert hall /'konsət hɔ:l/

konsulaatti consulate /'konsjulət/

kookas tall, big /tɔ:l, big/

kopio copy /'kopi/

kopiokone copying machine /'kopiiŋ mə'ʃi:n/

koputtaa knock /nok/

korjaamo repair shop /ri'peə ʃop/

korjata repair /ri'peə/

korjauttaa have ... repaired /həv ri'peəd/

korkea high /hai/

korkeus altitude, height /'æltitju:d, hait/

korkki cork /kɔ:k/

korkkiruuvi corkscrew /'kɔ:kskru:/

korko (kengän) heel /hi:l/

korko (pankki) interest /'intrəst/

korkolappu heeltap /'hi:ltæp/

kortti card /ka:d/
koru a piece of jewelry /ə pi:s əv 'dʒu:əlri/
korva ear /iə/
korvakorut earclips /iəklips/
korvalääkäri ear specialist /iə 'speʃəlist/
korvarengas earring /'iəriŋ/
korvasärky earache /iə(r)eik/
korvata compensate, replace /'kompenseit, ri'pleis/
koska because /bi'koz/
koskaan ever /'evə/
koskea touch /tʌtʃ/
koskea (tehdä kipeää) ache /eik/
kosketin (sähkök.) switch /switʃ/
koskettaa touch /tʌtʃ/
kostea damp /dæmp/
koti home /həum/
koti-ikävä homesickness /'həumsiknis/
kotimainen domestic /də'mestik/
kotiosoite home address /həum ə'dres/
koulu school /sku:l/
koulutus education /edʒu'keiʃn/
kouristus cramp /kræmp/
kova hard /ha:d/

kovaksi keitetty kananmuna hardboiled egg /'ha:dbɔild eg/
kovaääniset loudspeakers /'laudspi:kə:s/
kramppi cramp /kræmp/
krapula hangover /'hæŋəuvə/
krooninen chronic /'kronik/
kruunu crown /kraun/
kuherruskuukausi honeymoon /'hʌnimu:n/
kuhmu (ihmisessä) bump /bʌmp/
kuinka how /hau/
kuinka paljon how much /hau mʌtʃ/
kuiskaus whisper /'wispə/
kuitenkin yet /jet/
kuitti receipt /ri'si:t/
kuiva dry /drai/
kuka who /hu:/
kukin each /i:tʃ/
kukka flower /'flauə/
kukkakauppa florist's /'florists/
kukkakimppu bouquet /bu'kei/
kukkaro purse /pɜ:s/
kukkula hill /hil/
kullanmuru sweetheart /'swi:tha:t/
kullanvärinen golden /'gəuldən/

kullattu goldplated
/'gəuldpleitid/

kulma corner /'kɔ:nə/

kulmakynä eyebrow
pencil /'aibrau 'pensl/

kulta gold /gəuld/

kultainen golden
/'gəuldən/

kulttuuri culture
/'kʌltʃə/

kulunut worn /wɔ:n/

kulut expense /ik'spens/

kuluttaa spend /spend/

kuluttua after /'a :ftə/

kumi rubber /'rʌbə/

kumisaappaat rubber
boots /'rʌbə bu:ts/

kumitossut sneakers
/sni:kə:s/

kumpi which /witʃ/

kumpikin both /bəuθ/

kun when /wen/

kunnes until /ən'til/

kunnia honour /'onə/

kunnioitus respect
/ri'spekt/

kunnossa (esim. jokin
laite) in order /in 'ɔ:də/

kuohukerma double
cream /'dʌbl kri:m/

kuollut dead /ded/

kuorma-auto lorry,
truck /'lori, trʌk/

kuorsata snore /snɔ:/

kupari copper /'kopə/

kuppi cup /kʌp/

kurkku cucumber
/'kju:kʌmbə/

kurkku (anat.) throat
/θrəut/

kurkkupastilli throat
pastille /θrəut 'pæstil/

kurkkutabletti throat
lozenge /θrəut 'lozindʒ/

kurssi course /kɔ:s/

kustannus cost,
expense /kost, ik'spens/

kutista itch /itʃ/

kutistua shrink /ʃriŋk/

kutsu invitation
/invi'teiʃn/

kutsut party /'pa:ti/

kuu moon /mu:n/

kuukausi month
/mʌnθ/

kuukautiset
menstruation
/menstru'eiʃn/

kuulakärkikynä
ballpoint pen /bɔ:l
pɔint 'pen/

kuulla hear /hiə/

kuuloke ear-piece /iə
pi:s/

kuulua jllek belong to
/bi'loŋ tə/

kuuluisa famous
/'feiməs/

kuuma hot /hot/

kuumavesipullo
hot-water bottle /hot
'wɔ:tə 'botl/

kuume fever /'fi:və/

kuumemittari
thermometer
/θə'momitə/

kuumuus heat /hi:t/

kuunnella listen /'lisn/
kuuro deaf /def/
kuutamo moonlight /'mu:nlait/
kuva picture /'piktʃə/
kuvanveisto sculpture /'skʌlptʃə/
kuvanveistäjä sculptor /'skʌlptə/
kuvitella imagine /i'mædʒin/
kykenevä able to /'eibl tə/
kyljys cutlet /'kʌtlit/
kylkiluu rib /rib/
kyllä yes /jes/
kylmetys cold /kəuld/
kylmä cold /kəuld/
kylpy bath /ba:θ/
kylpyhuone bathroom /'ba:θru:m/
kylpylä baths /ba:θs/
kylpyläkaupunki health resort /helθ ri'zɔ:t/
kylpypyyhe towel /'tauəl/
kylpytakki bathrobe /'ba:θrəub/
kyltti sign /sain/
kylä village /'vilidʒ/
kyläjuhla village festival /'vilidʒ 'festivl/
kynsi nail /neil/
kynsiharja nailbrush /'neilbrʌʃ/
kynsilakanpoistoaine nail varnish remover /neil 'va:niʃ ri'mu:və/

kynsilakka nail polish /neil 'poliʃ/
kynsisakset nail scissors /neil 'sizəz/
kynsiviila nailfile /neilfail/
kynttilä candle /'kændl/
kynä pen /pen/
kynänsäiliö refill /ri:'fil/
kynänteroitin pencil sharpener /pensl 'ʃa:pənə/
kypsä ripe /raip/
kypärä helmet /'helmit/
kysymys question /'kwestʃən/
kysyä ask /a:sk/
kytkeä sähkö turn on /tɜ:n on/
kytkeä virta switch on /switʃ on/
kytkin clutch /klʌtʃ/
kyyhky pigeon /'pidʒin/
kyynel tear /tiə/
kyynärpää elbow /'elbəu/
kyyti ride /raid/
käheä hoarse /hɔ:s/
kärki tip /tip/
kärpänen fly /flai/
kärsimätön impatient /im'peiʃnt/
kärsivällinen patient /'peiʃnt/
kärsiä suffer /'sʌfə/
käsi hand /hænd/
käsienhoito manicure /'mænikjuə/

käsijarru handbrake /ˈhændbreik/
käsilaukku handbag /ˈhændbæg/
käsimatkatavara hand luggage /hænd ˈlʌgidʒ/
käsin tehty handmade /ˈhændmeid/
käsine glove /glʌv/
käsipyyhe towel /ˈtauəl/
käsiteollisuus handicraft work /ˈhændikraːft wɜːk/
käsivarsi arm /aːm/
käsivoide hand cream /hænd kriːm/
käteinen raha cash /kæʃ/
käteisellä in cash /in kæʃ/
kävely walk /wɔːk/
kävelypuku costume /ˈkostjuːm/

käydä kävelyllä walk /wɔːk/
käynnistää start /staːt/
käytetty used, second-hand /juːst, ˈsekənd hænd/
käyttäytyä behave /biˈheiv/
käyttää use /juːs/
käyttö use /juːs/
käytös behaviour /biˈheiviə/
kääntyä turn around /tɜːn əˈraund/
kääntää (kielit.) translate /trænzˈleit/
käärepaperi wrapping paper /ˈræpiŋ ˈpeipə/
kääryle (ruoka) roll /rəul/
kömpelö clumsy /ˈklʌmzi/
köyhä poor /puə/
köysi rope /rəup/

L

laakso valley /ˈvæli/
laastari adhesive plaster /ədˈhiːsiv plaːstə/
laatikko box /boks/
laatu quality /ˈkwoləti/
lahja gift /gift/
lahjapaketti gift package /gift ˈpækidʒ/
lahti bay /bei/
laiha (liha) lean /liːn/
laillinen legal /ˈliːgl/

laina loan /ləun/
lainata jollekulle lend /lend/
lainata joltakulta borrow /ˈborəu/
laine wave /weiv/
lainelauta surf board /sɜːf bɔːd/
laiska lazy /ˈleizi/
laiton illegal /iˈliːgl/

laittaa ruokaa cook /kuk/

laituri quay /ki:/

laiva ship /ʃip/

laivasto fleet /fli:t/

laji sort, kind /sɔ:t, kaind/

lakana sheet /ʃi:t/

laki law /lɔ:/

lakki cap /kæp/

lakko strike /straik/

lakritsa licorice /'likəris/

lammas lamb /læm/

lamppu lamp /læmp/

lanka thread /θred/

lantio hip /hip/

lapsenlapsi grandchild /'grændtʃaild/

lapsenvahti babysitter /'beibisitə/

lapsi child /tʃaild/

lasi glass /gla:s/

laskea count /kaunt/

laskea yhteen add together /æd tə'geðə/

laskettelu down-hill skiing /daun hill ski:iŋ/

laskeutua land /lænd/

laskimo vein /vein/

lasku bill /bil/

lasta splint /splint/

lastenhuone children's room /'tʃildrəns ru:m/

lastenlippu children's ticket /'tʃildrəns 'tikit/

lastenosasto (tavaratalossa) children's department /'tʃildrəns di'pa:tmənt/

lastentuoli children's chair /'tʃildrəns tʃeə/

lastenvuode children's bed /'tʃildrəns bed/

lato barn /ba:n/

lattia floor /flɔ:/

lauantai Saturday /'sætədi/

laukku bag /bæg/

laulaa sing /siŋ/

laulu song /sɔŋ/

lautanen plate /pleit/

lautasliina napkin /'næpkin/

lautta ferry /'feri/

lehmä cow /kau/

lehtikioski news agent /nju:z 'eidʒənt/

lehtikulta gold leaf /gəuld li:f/

lehtisalaatti lettuce /'letis/

leikata (lääket.) operate /'opəreit/

leikkaus (tukan) hair-cut /heə kʌt/

leikkele cold meat /kəuld mi:t/

leikkikalu toy /toi/

leikkiä play /plei/

leipomo baker's /'beikəs/

leipä bread, loaf /bred, ləuf/

leirintä camping /'kæmpiŋ/

leirintäalue camp(ing) site /'kæmpiŋ sait/

leivos pastry /'peistri/

leivänpaahdin toaster /'təustə/

lelu toy /tɔi/

lempeä mild /maild/

leninki dress /dres/

lennätin telegraph /'teligra:f/

lento flight /flait/

lentokenttä airport /'eəpɔ:t/

lentokone aeroplane /'eərəplein/

lentoposti airmail /'eəmeil/

lentää fly /flai/

lepo rest /rest/

lepovaunu couchette compartment /ku:'ʃet kəm'pa:tmənt/

leski (mies) widower /'widəuə/

leski (nainen) widow /'widəu/

leuka jaw /dʒɔ:/

leukaluu jaw /dʒɔ:/

leveä broad, wide /brɔ:d, waid/

levoton restless /'restləs/

levyke floppy disk /'flopi disk/

levysoitin record player /'rekɔ:d 'pleiə/

levätä rest /rest/

liesi stove /stəuv/

liftata hitch-hike /hitʃ haik/

liha meat /mi:t/

lihakauppa butcher's /'butʃə:s/

lihapiirakka meat pie /mi:t pai/

lihas muscle /'mʌsl/

lihava fat /fæt/

liian too /tu:/

liian paljon too (much) /tu: (mʌtʃ)/

liike shop /ʃop/

liikeasiat business /'biznis/

liikematka business trip /'biznis trip/

liikemies businessman /'biznismæn/

liikemiesluokka business class /'biznis kla:s/

liikenne traffic /'træfik/

liikennemerkki traffic sign /'træfik sain/

liikennevalo traffic light /'træfik lait/

liikenneympyrä roundabout /'raundəbaut/

liikevaihtovero sales tax /seils tæks/

liikkua move /mu:v/

liikuttaa move /mu:v/

liila lilac /'lailək/

liima glue /glu:/

liinavaatteet linen /'linin/

liira lira /'liərə/

liivit (miesten) waistcoat /'weiskəut/

likainen dirty /'dɜ:ti/

limonadi lemonade /lemə'neid/

linja-autoasema bus station /bʌs 'steiʃn/

linna castle /'ka:sl/

linnoitus fortress /'fɔ:tris/

linssi lens /lenz/

lintu bird /bɜ:d/

lippu (valtion) flag /flæg/

lipunmyynti sale of tickets /seil əv tikits/

lisäarvonvero value added tax, V.A.T. /'vælju: ædid tæks, vi: ei ti:/

lisämaksu surcharge /'sɜ:tʃa:dʒ/

lisätä add /æd/

lisävuode extra bed /'ekstrə bed/

litra litre /'li:tə/

liukas slippery /'slipəri/

lohi salmon /'sæmən/

loistava splendid /'splendid/

loistohotelli de luxe hotel /di 'lʌks həu'tel/

loiva sloping /'sləupiŋ/

lokakuu October /ok'təubə/

loma holidays /'holədeiz/

lomake form /fɔ:m/

lomapäivä holiday /'holədei/

lompakko wallet /'wolit/

lonkka hip /hip/

lopettaa finish /'finiʃ/

loppu end /end/

loppua expire /ik'spaiə/

loppuunmyyty sold out /səuld aut/

lopulta at last /ət la:st/

lopussa finished /'finiʃt/

loukata offend /ə'fend/

loukkaantunut (onnettomuudessa) injured /'indʒəd/

loukkaus offence /ə'fens/

lounas lunch /lʌntʃ/

luento lecture /'lektʃə/

luettelo catalogue /'kætəlog/

luistella skate /skeit/

luistimet skates /skeits/

luistinrata skating rink /'skeitiŋ riŋk/

luja firm /fɜ:m/

lukea read /ri:d/

lukita lock /lok/

luku figure /'figə/

lukulamppu reading lamp /'ri:diŋ læmp/

lukumäärä number, amount /'nʌmbə, ə'maunt/

lukuun ottamatta excluding /ik'sklu:diŋ/

lumi snow /snəu/

lumisade snowfall
/'snəufɔ:l/
lumivyöry avalanche
/'ævəla:nʃ/
luoda create /kri:'eit/
luola cave /keiv/
luomiväri eye shadow
/ai 'ʃædəu/
luonnollinen natural
/'nætʃrəl/
luonto nature /'neitʃə/
luostari monastery
/'monəstri/
luottaa trust /trʌst/
luottamus confidence
/'konfidəns/
luottokortti credit card
/'kredit ka:d/
lupa permission
/pə'miʃn/
lupaus promise
/'promis/
lusikka spoon /spu:n/
luukku (asiointil.)
counter /'kauntə/
luunmurtuma fracture
/'fræktʃə/
luvata promise
/'promis/
lyhentää shorten /'ʃɔ:tn/
lyhyt short /ʃɔ:t/
lyijykynä pencil /'pensl/
lyödä hit /hit/
lyödä vetoa bet /bet/
lähde spring /spriŋ/
lähellä near /niə/
lähettäjä sender
/'sendə/
lähettää send /send/

lähetystö embassy
/'embəsi/
lähin nearest /'niərist/
lähivalot dipped
headlights /dipt
'hedlaits/
lähteä leave /li:v/
lähtö departure
/di'pa:tʃə/
lämmin warm /wɔ:m/
lämmin vesi hot water
/hot wɔ:tə/
lämmitys heating
/hi:tiŋ/
lämpiö lobby /'lobi/
lämpö heat /hi:t/
lämpö (ihmisestä)
temperature
/'temprətʃə/
lämpöaste degree
/di'gri:/
lämpömittari
thermometer
/θə'momitə/
lämpötila temperature
/'temprətʃə/
länsi west /west/
läpi through /θru:/
läpikulku thoroughfare
/'θʌrəfeə/
läpikulkumatka
through trip /θru: trip/
läpinäkyvä transparent
/træns'pærənt/
läsnäoleva present
/'preznt/
lääke medicine
/'medsn/

lääkemääräys
prescription
/pri'skripʃn/
lääkäri doctor */'doktə/*
löyhkätä stink */stiŋk/*
löysä loose */lu:s/*

M

maa land, ground */lænd, graund/*
maailma world */wɜ:ld/*
maalaistalo farm */fa:m/*
maalari painter */'peintə/*
maalata paint */peint/*
maalaus painting */'peintiŋ/*
maalaustaide pictorial art */pik'tɔ:riəl a:t/*
maaliskuu March */ma:tʃ/*
maanalainen underground */'ʌndəgraund/*
maanantai Monday */'mʌndi/*
maantie highway */'haiwei/*
maantiekartta road map *rəud mæp/*
maaperä ground */graund/*
maaseutu countryside */'kʌntrisaid/*
maastoauto cross-country vehicle */kros 'kʌntri 'vi:ikl/*
maata lie */lai/*

maatalo farm */fa:m/*
maatalous agriculture */'ægrikʌltʃə/*
maatila farm */fa:m/*
mahdollinen possible */'posəbl/*
mahdollisuus possibility, chance */posə'biləti/*
mahdoton impossible */im'posəbl/*
maine reputation */repju'teiʃn/*
mainita mention */'menʃn/*
maisema landscape */'lændskeip/*
maissihiutaleet corn flakes */kɔ:n fleiks/*
maistaa taste */teist/*
maito milk */milk/*
maitokauppa dairy */'deəri/*
majatalo inn */in/*
majoitus accommodation */əkomə'deiʃn/*
makaroni noodles */'nu:dls/*

makea sweet /swi:t/
makeiset sweets /swi:ts/
makeiskauppa
 sweetshop /swi:t ʃop/
makkara sausage
 /'sosidʒ/
makkarakioski
 hot-sausage stall /hot
 'sosidʒ stɔ:l/
maksa liver /'livə/
maksaa pay /pei/
maksaa (olla hintana)
 cost /kost/
maksapasteija liver
 paste /'livə peist/
maksuosoitus payment
 order /'peimənt 'ɔ:də/
maku taste /teist/
makuuhuone bed-room
 /'bedru:m/
makuupussi sleeping
 bag /'sli:piŋ bæg/
makuusija berth /bɜ:θ/
makuuvaunu sleeping
 car /'sli:piŋ ka:/
malja bowl /bəul/
malli pattern /'pætn/
mansikka strawberry
 /'strɔ:bri/
markka mark /ma:k/
markkinat market
 /'ma:kit/
marmelaati marmalade
 /'ma:məleid/
marraskuu November
 /nəu'vembə/
masentunut depressed
 /di'prest/

maskotti mascot
 /'mæskət/
matala low /ləu/
materiaali material
 /mə'tiəriəl/
matka journey /'dʒɜ:ni/
matkailutoimisto
 tourist office /'tuərist
 'ofis/
matkalaukku suitcase
 /'su:tkeis/
matkalippu ticket
 /'tikit/
matkamuisto souvenir
 /su:və'niə/
matkaopas tourist
 guide /'tuərist gaid/
matkaradio portable
 radio /'pɔ:təbl 'reidiəu/
matkasekki traveller's
 cheque /'trævləz tʃek/
matkatavarat luggage
 /'lʌgidʒ/
matkatavaratoimisto
 left luggage office /left
 'lʌgidʒ 'ofis/
matkatavaravaunu
 luggage van /'lʌgidʒ
 væn/
matkatoimisto travel
 agency /'trævl 'eidʒənsi/
matkustaa travel
 /'trævl/
matkustaja passenger
 /'pæsindʒə/
matto carpet /'ka:pit/
mauste spice /spais/
me we /wi:/
mehiläinen bee /bi:/

mehu juice /dʒuːs/
meidän our /'auə/
meikki make-up /meik ʌp/
meikkilaukku toilet bag /'tɔilit bæg/
mekaanikko mechanic /mi'kænik/
melkein almost /'ɔːlməust/
melu noise /nɔiz/
meluisa noisy /'nɔizi/
menettää lose /luːz/
menneisyys past /paːst/
mennä go /gəu/
mennä pois go away /gəu ə'wei/
mennä sijoiltaan get sprained /get spreind/
mennä yli cross /krɔs/
meno single trip /'siŋgl trip/
menolippu single ticket /'siŋgl tikit/
meno-paluulippu return ticket /ri'tɜːn 'tikit/
meri sea /siː/
merimies sailor /'seilə/
meripihka amber /'æmbə/
merkitys meaning /'miːniŋ/
merkitä mean /miːn/
messinki brass /braːs/
messu mass /mæs/
metalli metal /'metl/
meteli noise /nɔiz/

metro underground /'ʌndəgraund/
metsikkö wood /wud/
metsä woods, forest /wudz, 'fɔrist/
metsästäjä hunter /'hʌntə/
metsästää hunt /hʌnt/
mieli mind /maind/
mieliala mood /muːd/
mielihyvä pleasure /'pleʒə/
mielipide opinion /ə'piniən/
mielisairas insane /in'sein/
miellyttää please /pliːz/
mies man /mæn/
miestenhuone gentlemen /'dʒentlmən/
miestenosasto (tavaratalossa) men's department /mens di'paːtmənt/
miksi why /wai/
mikä what /wot/
milloin when /wen/
ministeri minister /'ministə/
minun my /mai/
minuutti minute /'minit/
minä I /ai/
missä where /weə/
mistä wherefrom /'weəfrəm/
mitta measure /'meʒə/
mitä what /wot/
mokkanahka suede /sweid/

monet many /'meni/
moni many /'meni/
monot ski boots /ski: bu:ts/
monta many /'meni/
moottori motor /'məutə/
moottoripyörä motorcycle /'məutəsaikl/
moottoritie highway, motorway /'haiwei, 'məutəwei/
moottorivika breakdown /'breikdaun/
mopedi moped /'məupəd/
moskeija mosque /mosk/
motelli motel /məu'tel/
muistaa remember /ri'membə/
muisti memory /'meməri/
muistikirja notebook /'nəutbuk/
muistomerkki memorial /mi'mɔ:riəl/
mukaan lukien including /in'klu:diŋ/
mukava comfortable /'kʌmftəbl/
munakokkeli scrambled eggs /'skræmld egs/
munankeltuainen egg yolk /eg jəuk/
munuainen kidney /'kidni/

muoti fashion /'fæʃn/
muoto shape /ʃeip/
muotoilu design /di'zain/
muovi plastic /'plæstik/
muovikassi plastic bag /'plæstik bæg/
murea tender /'tendə/
murha murder /'mɜ:də/
murot cereals /'siəriəls/
murtunut (esim. jalka) broken /'brəukən/
museo museum /mju:'ziəm/
musiikki music /'mju:zik/
musikaali musical /'mju:zikl/
musta black /blæk/
mustasukkainen jealous /'dʒeləs/
mustavalkoinen black-and-white /blæk ən wait/
mustekynä pen /pen/
mustelma bruise /bru:z/
muta mud /mʌd/
mutka curve /kɜ:v/
mutta but /bʌt/
muurahainen ant /ænt/
muuri wall /wɔ:l/
muutama a few /ə fju:/
muutoin otherwise /'ʌðəwaiz/
muutos change /tʃeindʒ/
mylly mill /mil/
myrkyllinen poisonous /'pɔizənəs/

myrsky storm, gale
/stɔːm, geil/
myydä sell /sel/
myyjä shop-assistant
/'ʃop əsistənt/
myyjä salesman
/'seilsmən
myymälä shop /ʃop/
myytävänä for sale /fə
seil/
myöhemmin later
/'leitə/
myöhäisnäytäntö late
show /leit ʃəu/
myöhässä late /leit/
myöhästyminen delay
/di'lei/
myöhästyä (junasta)
miss (the train) /miss
ðə trein/

myöhään late /leit/
myös also /ɔːlsəu/
myötätuntoinen
sympathetic
/simpə'θetik/
mädäntynyt rotten
/'rotn/
mäki hill /hil/
mäntä piston /'pistən/
märkä wet /wet/
mäti roe /rəu/
määrä quantity
/'kwontəti/
määrätä determine
/di'tɜːmin/
mökki cottage /'kotidʒ/

N

naapuri neighbour
/'neibə/
naarmu graze /greiz/
nahka leather /'leðə/
nailon nylon /'nailon/
naimaton single /'siŋgl/
naimisissa married
/'mærɪd/
nainen woman
/'wumən/
naistenhuone ladies
/'leidiːz/

naistenosasto
(tavaratalossa) ladies'
department /'leidiːz
di'paːtmənt/
nakki frankfurter
/'fræŋkfɜːtə/
nakkikioski hot-dog
stand /hot dog stænd/
nappi button /'bʌtn/
naru string /striŋ/
naudanliha beef /biːf/
nauhuri tape recorder
/teip ri'kɔːdə/
naula nail /neil/
nauraa laugh /laːf/

nauru laughter /'lɑːftə/
nauttia enjoy /in'dʒɔi/
negatiivi negative /'negətiv/
neiti Miss /miss/
nelikulmainen square /skweə/
neljännes quarter /'kwɔːtə/
nenä nose /nəuz/
nenäliina handkerchief /'hæŋkətʃif/
neste liquid /'likwid/
neula needle /'niːdl/
neutraali neutral /'njuːtrəl/
neuvo advice /əd'vais/
neuvonta information /infə'meiʃn/
niellä swallow /'swoləu/
niin so /səu/
niitty meadow /'medəu/
nilkka ankle /'æŋkl/
nimi name /neim/
nimipäivä name day /neim dei/
niska neck /nek/
nivel joint /dʒɔint/
noin approximately /ə'proksimətli/
nojatuoli easy-chair /'iːzitʃeə/
nolo embarrassed /im'bærəst/
nopat dice /dais/
nopea quick /kwik/
nopeammin faster /'fɑːstə/
nopeus speed /spiːd/

normaali normal /'nɔːml/
normaalihinta standard price /'stændəd prais/
nostaa lift /lift/
nousta (bussiin) get on /get on/
nousta ylös get up /get ʌp/
noutaa pick up /pik ʌp/
nuha cold (in the head) /kəuld in ðə hed/
nukke doll /dol/
nukkua sleep /sliːp/
nukuttaa be sleepy /biː 'sliːpi/
numero number /'nʌmbə/
nummi moorland /'muələnd/
nuo those /ðəuz/
nuori young /jʌŋ/
nuoruus youth /juːθ/
nuppi knob /nob/
nurkka corner /'kɔːnə/
nurmikko lawn /lɔːn/
nuttura bun /bʌn/
nykyinen present /'preznt/
nyrjähdys sprain /sprein/
nyrkkeily boxing /boksiŋ/
nyt now /nau/
nähdä see /siː/
nähtävyydet sights /saits/
näkemiin! goodbye! /gud'bai/

näköala view /vju:/
nämä these /ði:z/
näppylä pimple /pimpl/
näytellä play /plei/
näytelmä play /plei/
näyttely exhibition /eksi'biʃn/

näyttää (jotakin) show /ʃəu/
näytäntö performance /pə'fɔ:məns/

O

odottaa expect, wait /ik'spekt, weit/
odottaa lasta be pregnant /bi: 'pregnənt/
odotushuone waiting room /weitiŋ ru:m/
oheistaa enclose /in'kləuz/
ohi over /'əuvə/
ohittaa pass /pa:s/
ohitus kielletty no overtaking /nəu 'əuvəteikiŋ/
ohjata (autoa) steer /stiə/
ohjauspyörä steering wheel /'stiəriŋ wi:l/
ohjelma program /'prəugræm/
ohut thin /θin/
oikea right /rait/
oikealle to the right /tə ðə rait/
oikeanpuoleinen right-hand /rait hænd/
oikein right /rait/
oikeudenmukainen fair /feə/

oikeusistuin court /kɔ:t/
oikeusjuttu case /keis/
oikosulku short circuit /ʃɔ:t 'sə:kit/
oikotie short cut /ʃɔ:t kʌt/
oire symptom /'simptəm/
oksentaa vomit /'vomit/
oksettaa feel sick /fi:l sik/
ole kiltti! please! /pli:z/
oleskelu stay /stei/
oleskelutila lounge /laundʒ/
olettaa suppose /sə'pəuz/
oliivi olive /'oliv/
oliiviöljy olive oil /'oliv ɔil/
olkaa hyvä! please! /pli:z/
olkalaukku shoulder bag /'ʃəuldə bæg/
olkapää shoulder /'ʃəuldə/

olla be /bi:/
olla eksyksissä be lost /bi: lost/
olla epäkunnossa be out of order /bi: aut əv 'ɔ:də/
olla janoinen be thirsty /bi: 'θɜ:sti/
olla kunnossa be in order /bi: in ɔ:də/
olla merisairas be seasick /bi: 'si:sik/
olla myöhässä be late /bi: leit/
olla nälkäinen be hungry /bi: 'hʌŋgri/
olla pahoillaan be sorry /bi: 'sori/
olla raskaana be pregnant /bi: 'pregnənt/
olla velkaa owe /əu/
olla väärässä be wrong /bi: roŋ/
olla yhtä mieltä agree /ə'gri:/
olla yötä stay overnight /stei əuvənait/
olohuone living-room /'liviŋ ru:m/
olut beer /biə/
olutkellari brasserie /'bræsəri/
oma own /əun/
omaisuus property /'propəti/
omena apple /'æpl/
omistaa have /hæv/
omistaja owner /'əunə/

omituinen strange /streindʒ/
ommella sew /səu/
ompelija dressmaker /'dresmeikə/
ongelma problem /'probləm/
onnekas lucky /'lʌki/
onneksi olkoon! congratulations! /kəngrætju'leiʃns/
onnellinen happy /'hæpi/
onneton unhappy /ʌn'hæpi/
onnettomuus accident /'æksidənt/
onnistua succeed /sək'si:d/
ontto hollow /'holəu/
ooppera opera /'oprə/
opas guide /gaid/
opaskirja guide-book /gaid buk/
opettaa teach /ti:tʃ/
opettaja teacher /'ti:tʃə/
opiskelija student /'stju:dnt/
opiskella study /'stʌdi/
oppia learn /lɜ:n/
optikko optician /op'tiʃn/
oranssi orange /'orindʒ/
orkesteri orchestra /'ɔ:kistrə/
orkesterinjohtaja conductor /kən'dʌktə/
osa part /pa:t/

osasto department /di'pa:tmənt/
osata can /kæn/
osoite address /ə'dres/
osoittaa show /ʃəu/
ostaa buy /bai/
osteri oyster /'ɔistə/

otsa forehead /'fɔrid/
otsatukka fringe /frindʒ/
ottaa take /teik/
ottaa lainaksi borrow /'bɔrəu/
ovi door /dɔ:/

P

paahtoleipä toast /təust/
paavi pope /pəup/
paeta escape /i'skeip/
paha bad /bæd/
pahoinpitely assault /ə'sɔ:lt/
pahoinvointi nausea /'nɔ:siə/
paikallinen local /'ləukl/
paikallispuhelu local call /'ləukl kɔ:l/
paikallispuudutus local anaesthetic /ləukl ænis'θetik/
paikallistie local road /ləukl rəud/
paikata mend /mend/
paikata hammas fill a tooth /fil ə tu:θ/
paikka place /pleis/
paikka (hampaassa) filling /'filiŋ/
paikkakuntalainen local inhabitant /ləukl in'hæbitənt/

paikkalippu seat ticket /si:t 'tikit/
paikkavaraamo booking office /'bukiŋ 'ofis/
painaa weigh /wei/
painajaisuni nightmare /'naitmeə/
painava heavy /'hevi/
paine pressure /'preʃə/
paini wrestling /'restliŋ/
paino weight /weit/
paise boil /bɔil/
paistaa (esim. aurinko) shine /ʃain/
paistaa (ruokaa) fry /frai/
paistettu roasted /'rəustid/
paistettu kananmuna fried egg /fraid eg/
paistinpannu (frying)pan /'fraiiŋ pæn/
paisunut swollen /'swəulən/
paita shirt /ʃɜ:t/
paitsi except /ik'sept/
pakastin freezer /'fri:zə/

paketti package
/'pækidʒ/
pakettiauto van /væn/
pakkanen frost /frost/
pakkasneste antifreeze
/'æntifri:z/
pakolainen refugee
/refju'dʒi:/
pakoputki exhaust pipe
/ig'zɔ:st paip/
pakottaa force /fɔ:s/
paksu thick /θik/
pala piece /pi:s/
palaa burn /bɜ:n/
palanut (auringossa)
burnt /bɜ:nt/
palapeli jigsaw puzzle
/'dʒigsɔ: 'pʌzl/
palata return /ri'tɜ:n/
palatsi palace /'pælis/
palauttaa return
/ri'tɜ:n/
palella be cold /bi:
kəuld/
paleltunut frozen
/'frəuzən/
paljastaa bare /beə/
paljon much, a lot of
/mʌtʃ, ə lot əv/
palkata hire, engage
/'haiə, in'geidʒ/
palkinto prize /praiz/
palkka salary, pay
/'sæləri, pei/
palkkio reward /ri'wɔ:d/
pallo ball /bɔ:l/
palmu palm /pa:m/
paloiteltu chopped
/tʃopt/

palokunta fire-brigade
/'faiə bri'geid/
palovamma burn /bɜ:n/
paluu return /ri'tɜ:n/
paluulippu return ticket
/ri'tɜ:n 'tikit/
palvelu service /'sɜ:vis/
palvelustyttö maid
/meid/
pankki bank /bæŋk/
pankkikortti bank card
/bæŋk ka:d/
pankkitili bank account
/baŋk ə'kaunt/
panna put, lay /put, lei/
pannukakku pancake
/'pænkeik/
paperi paper /'peipə/
paperikauppa
stationer's /'steiʃnəz/
paperinenäliina paper
handkerchief /'peipə
'hæŋkətʃif/
paperipussi bag /bæg/
papiljotti curler /'kɜ:lə/
pappi priest /pri:st/
papu bean /bi:n/
parantaa cure /kjuə/
parempi better /'betə/
pari couple, pair /'kʌpl,
peə/
paristo battery /'bætəri/
parkkimaksu parking
fee /'pa:kiŋ fi:/
parkkipaikka parking
place /'pa:kiŋ pleis/
parranajo shave /ʃeiv/
parranajokone shaver
/'ʃeivə/

parsa asparagus
/ə'spærəgəs/

parsia mend /mend/

parta beard /biəd/

partaterä razor blade
/'reizə bleid/

partavaahto shaving
cream /'ʃeiviŋ kri:m/

partaveitsi razor
/'reizə/

partavesi aftershave
lotion /'a:ftəʃeiv 'ləuʃn/

parturi barber /'ba:bə/

parveke balcony
/'bælkəni/

passi passport
/'pa:spɔ:t/

pata pot /pot/

patja mattress /'mætris/

patsas statue /'stætʃu:/

pehmeä soft /soft/

**pehmeäksi keitetty
kananmuna** softboiled
egg /softbɔild eg/

peili mirror /'mirə/

peite quilt /kwilt/

pekoni bacon /'beikən/

pelastaa save /seiv/

pelastusliivit life jacket
/laif 'dʒækit/

pelastusrengas life
preserver /laif pri'zɜ:və/

pelata play /plei/

peli game /geim/

pelikortti (playing-)card
/'(pleiiŋ) ka:d/

pelko fear /fiə/

pellava linen /'linin/

pelokas anxious
/'æŋkʃəs/

pelto field /fi:ld/

pelätä be afraid /bi:
ə'freid/

penkki bench /bentʃ/

perhe family /'fæməli/

perhemajoitus family
accomodation /'fæməli
əkomə'deiʃn/

periä inherit /in'herit/

perjantai Friday
/'fraidi/

permanentti permanent
/'pɜ:mənənt/

permanto stalls /stɔ:ls/

persikka peach /pi:tʃ/

peruna potato
/pə'teitəu/

perunalastut crisps
/krisps/

peruukki wig /wig/

peruuttaa (auto) back
/bæk/

peruutusvalot reversing
lights /ri'vɜ:siŋ laits/

peräpuikko suppository
/sə'pozitri/

peräpukamat
hemorrhoids
/'hemərɔidz/

perävaunu trailer
/'treilə/

peseta peseta /pə'seitə/

pestä wash /woʃ/

pesu wash /woʃ/

pesuallas wash basin
/woʃ beisn/

pesuhuone lavatory /'lævətri/

pesujauhe soap powder /səup paudə/

pesula laundry /'lɔːndri/

pesusieni sponge /spʌndʒ/

pettää disappoint /disə'pɔint/

peukalo thumb /θʌm/

peukalokyyti hitch-hiking /hitʃ 'haikiŋ/

pian soon /suːn/

pienempi smaller /'smɔːlə/

pienentää make smaller /meik smɔːlə/

pieni small, little /smɔːl, 'litl/

piha courtyard /'kɔːtjaːd/

pihvi steak /steik/

piilolasit contact lenses /'kontækt 'lenziz/

piilottaa hide /haid/

piimä buttermilk /'bʌtəmilk/

piippu pipe /paip/

piirtoheitin overhead projector /əuvə'hed prə'dʒektə/

piirtoheitinkalvo transparency /træns'pærənsi/

piirustus drawing /'drɔːiŋ/

piirustuspaperi drawing paper /'drɔːiŋ 'peipə/

pikajuna express train /ik'spres trein/

pikakirje express letter /ik'spres 'letə/

pikkelssi pickles /'piklz/

pikkuauto car /kaː/

pikkubussi minibus /'minibʌs/

pikkuhousut briefs, panties /briːfs, 'pæntiz/

pikkukaupunki small town /smɔːl taun/

pikkuleipä sweet biscuit /swiːt 'biskit/

pikkuraha small change /smɔːl tʃeindʒ/

pilata spoil /spɔil/

pilleri pill /pil/

pilvi cloud /klaud/

pimeä dark /daːk/

pippuri pepper /'pepə/

piste point /pɔint/

pistoke plug /plʌg/

pistorasia socket /'sokit/

pistos (ruiske) injection /in'dʒekʃn/

pistää sting /stiŋ/

pitkin along /ə'lɔŋ/

pitkä long /lɔŋ/

pitkäveteinen boring /bɔːriŋ/

pitsi lace /leis/

pituus length /leŋθ/

pitää must, ought, shall
/mʌst, ɔːt, ʃæl/
pitää (vaatteita) wear
/weə/
pitää arvossa
appreciate /ə'priːʃieit/
pitää jstk like /laik/
pitää kiinni hold
/həuld/
pitää parempana prefer
/pri'fɜː/
planetaario
planetarium
/plæni'teəriəm/
platina platinum
/'plætinəm/
pohja bottom /'botəm/
pohjakerros ground
floor /graund flɔː/
pohjoinen north /nɔːθ/
poika boy /bɔi/
poika (jonkun) son
/sʌn/
poikamies bachelor
/'bætʃələ/
poikki across /ə'kros/
poimia pick up /pik ʌp/
poistaa remove
/ri'muːv/
poistua get off /get of/
poliisi police /pə'liːs/
poliisilaitos police
station /pə'liːs 'steiʃn/
poliisimies policeman
/pə'liːsmən/
politiikka politics
/'politiks/
poljin pedal /'pedl/
polku path /paːθ/

polkupyörä bicycle
/'baisikl/
polkuvene pedal boat
/'pedl bəut/
polttaa burn /bɜːn/
polvi knee /niː/
porkkana carrot
/'kærət/
portaat stairs /steəz/
portieeri porter /'pɔːtə/
portti gate /geit/
poski cheek /tʃiːk/
poskiparta whiskers
/'wiskəːz/
poskipuna rouge /ruːʒ/
posliini porcelain
/'pɔːsəlin/
poste restante poste
restante /pəust
'restaːnt/
posti mail /meil/
postikortti postcard
/'pəustkaːd/
postilaatikko letter-box
/'letə boks/
postimaksu postage
/'pəustidʒ/
postimerkki stamp
/stæmp/
postinkantaja postman
/'pəustmən/
postiosoitus postal
order /pəust 'ɔːdə/
postitoimisto post
office /'pəust ofis/
potilas patient /'peiʃnt/
potta potty /'poti/
prinsessa princess
/prin'ses/

prinssi prince /*prins*/
prosentti per cent /*pɜːsent*/
prostituoitu prostitute /*'prostitjuːt*/
proteesi artificial limb /*aːtiˈfiʃl lim*/
protestantti protestant /*'protistənt*/
prässätä press /*pres*/
pudota fall /*fɔːl*/
puhdas pure, clean /*pjuə, kliːn*/
puhdistaa clean /*kliːn*/
puhe speech /*spiːtʃ*/
puhelin telephone /*'telifəun*/
puhelinluettelo telephone book /*'telifəun buk*/
puhelu call /*kɔːl*/
puhelunvälittäjä operator /*'opəreitə*/
puhua speak /*spiːk*/
puisto park /*paːk*/
pukeutua dress /*dres*/
puku (miesten) suit /*suːt*/
pullo bottle /*'botl*/
pullonaukaisin bottle opener /*'botl 'əupənə*/
pulssi pulse /*pʌls*/
pumpuli cotton (wool) /*'kotn (wul)*/
punainen red /*red*/
punakampela plaice /*pleis*/
punaviini red wine /*red wain*/

punta pound /*paund*/
puoli half /*haːf*/
puolihoito half board /*haːf bɔːd*/
puolikas half /*haːf*/
puolillaan half full /*haːf ful*/
puoliso spouse /*spauz*/
puolustaa defend /*diˈfend*/
purjehtia sail /*seil*/
purjelauta wind surfer /*wind 'sɜːfə*/
purjevene sailing-boat /*'seiliŋ bəut*/
purkinaukaisin tin opener /*tin 'əupənə*/
puro brook /*bruk*/
purra bite /*bait*/
pusero blouse /*blauz*/
putki pipe /*paip*/
putous falls /*fɔːls*/
puu tree /*triː*/
puuaines wood /*wud*/
puutarha garden /*gaːdn*/
puuteri powder /*'paudə*/
puuttua lack /*læk*/
puuvilla cotton /*'kotn*/
puvunnumero size of clothes /*saiz əv kləuðz*/
pyhimys saint /*seint*/
pyhä holy /*'həuli*/
pyhäpäivä holiday /*'holədei*/
pyhättö sanctuary /*'sæŋktʃuəri*/
pyjama pyjamas /*pəˈdʒaːməs*/

pystysuora vertical /'vɜ:tikl/

pystyvä clever /'klevə/

pysyvä permanent /'pɜ:mənənt/

pysyä stay /stei/

pysähdys stop /stop/

pysähtyä stop /stop/

pysäkki stop /stop/

pysäköidä park /pa:k/

pysäköinti kielletty no parking /nəu 'pa:kiŋ/

pysäköinti sallittu parking allowed /'pa:kiŋ ə'laud/

pysäköintirajoitus restricted parking /ri'striktid 'pa:kiŋ/

pysäyttää stop /stop/

pysäytyskielto no waiting /nəu 'weitiŋ/

pyyhekumi rubber /'rʌbə/

pyyheliina towel /'tauəl/

pyykki washing /woʃiŋ/

pyytää request /ri'kwest/

pyytää anteeksi excuse /ik'skju:s/

pyöreä round /raund/

pyörryttää feel dizzy /fi:l 'dizi/

pyörtyä faint /feint/

pyörä wheel /wi:l/

pyörätuoli wheelchair /'wi:ltʃeə/

pähkinä nut /nʌt/

päivittäinen daily /'deili/

päivä day /dei/

päivälehti daily (newspaper) /'deili ('nju:speipə)/

päivällinen dinner /'dinə/

päivämaksu daily payment /'deili 'peimənt/

päivämäärä date /deit/

päivän erikoinen dish of the day /diʃ əv ðə dei/

päivänvalo daylight /'deilait/

päivänvarjo parasol /'pærəsol/

pätemätön invalid /'invəlid/

pää- main /mein/

pää head /hed/

pääkatu main road /mein rəud/

pääkaupunki capital /'kæpitl/

päällystakki overcoat /'əuvəkəut/

päällä on /on/

päänsärky head-ache /'hedeik/

pääosa leading role /li:diŋ rəul/

pääposti main post office /mein pəust 'ofis/

päärautatieasema main railway station /mein 'reilwei 'steiʃn/

päärynä pear /peǝ/
pääsiäinen Easter
/'i:stǝ/
päättää decide /'di'said/
pöly dust /dʌst/
pörssi stock exchange
/stok ik'stʃeindʒ/

pörssikurssi exchange
rate /ik'stʃeindʒ reit/
pöytä table /'teibl/
pöytäliina table cloth
/'teibl kloθ/

R

raaka raw /rɔ:/
radio radio /'reidiǝu/
raha money /'mʌni/
rahake token /'tǝukǝn/
rahamäärä amount
/ǝ'maunt/
rahanvaihto money
exchange /'mʌni
ik'stʃeindʒ/
rahanvaihtotoimisto
currency exchange
office /'kʌrǝnsi
ik'stʃeindʒ 'ofis/
rahti freight /freit/
raide track /træk/
raiskata rape /reip/
raitiovaunu tram
/træm/
raitis sober /'sǝubǝ/
raitis (ilma) fresh /freʃ/
raja limit /'limit/
rakas dear /diǝ/
rakastaa love /lʌv/
rakastettu beloved
/bi'lʌvd/
rakastua fall in love
/fɔ:l in lʌv/

rakennus building
/'bildiŋ/
rakkaus love /lʌv/
rakko bladder /'blædǝ/
rakkula blister /'blistǝ/
rangaistus punishment
/'pʌniʃmǝnt/
ranne wrist /rist/
ranneke watch strap
/wotʃ stræp/
rannekello wrist-watch
/'rist wotʃ/
ranneketju bracelet
/'breislit/
rannerengas bracelet
/'breislit/
rannikko coast /kǝust/
ranskalaiset perunat
French fries /frentʃ
fraiz/
rapea crisp /krisp/
raportoida report
/ri'pɔ:t/
rapu crayfish /'kreifiʃ/
rasia box /boks/
raskaana oleva
pregnant /'pregnǝnt/
raskas heavy /'hevi/

rasva fat /fæt/
ratsastaa ride /raid/
ratsastus riding
/'raidiŋ/
ratsastusrata riding
course /'raidiŋ kɔ:s/
rauha peace /pi:s/
rauhallinen quiet
/'kwaiət/
rauhanen gland /glænd/
rauhoittava lääke
tranquillizer
/'træŋkwilaizə/
raunio ruin /'ru:in/
rauta iron /'aiən/
rautakauppa
ironmonger's
/'aiənmʌŋgəz/
rautatie railway
/'reilwei/
rautatieasema railway
station /'reilwei 'steiʃn/
ravintola restaurant
/'restront/
ravintolavaunu dining
car /'dainiŋ ka:/
ravistaa shake /ʃeik/
rehellinen honest
/'onist/
reikä hole /həul/
reisi thigh /θai/
reki sledge /sledʒ/
rekisterikilpi
registration plate
/redʒi'streiʃn pleit/
rekisterinumero
registration number
/redʒi'steiʃn 'nʌmbə/

rekisteriote registration
card /redʒi'steiʃn ka:d/
rengas ring /riŋ/
rengas (auton) tyre
/'taiə/
rentoutua relax /ri'læks/
repiä tear /teə/
reppu rucksack
/'rʌksæk/
resepti (lääkemääräys)
prescription
/pri'skripʃn/
retkeily camping
/'kæmpiŋ/
retkeilymaja youth
hostel /ju:θ hostl/
retki excursion
/ik'skɜ:ʃn/
retkieväät packed lunch
/pækt lʌntʃ/
reumatismi rheumatism
/'ru:mətizəm/
reuna edge /edʒ/
revyy revue /ri'vju:/
revähtymä rupture
/'rʌptʃə/
riepu rag /ræg/
riipus pendant
/'pendənt/
riisi rice /rais/
riista game /geim/
riisua take off /teik of/
riisuutua undress
/ʌn'dres/
riita quarrel /'kworəl/
rikas rich /ritʃ/
rikki broken /'brəukən/
rikkoa break /breik/

rikollinen criminal /ˈkrimɪnl/

rikos crime /kraim/

rinta breast /brest/

rintakehä chest /tʃest/

rintakoru brooch /brəutʃ/

rintaliivit bra /braː/

ripuli diarrhoea /daiəˈriə/

ripustaa hang /hæŋ/

riski risk /risk/

risteys crossroads /ˈkrosrəuds/

rivi row /rəu/

rohdos drug /drʌg/

rohdoskauppa chemist's /ˈkemists/

rohkea brave /breiv/

rokotus vaccination /væksiˈneiʃn/

roosa pink /piŋk/

roseeviini rosé /rozei/

rotko gorge /goːdʒ/

rouva Mrs /ˈmisiz/

ruiske injection /inˈdʒekʃn/

ruisleipä brown bread /braun bred/

rukoilla pray /prei/

rukous prayer /preə/

rukousnauha rosary /ˈrəuzəri/

ruletti roulette /ruːˈlet/

ruma ugly /ˈʌgli/

runo poem /ˈpəuim/

runsaasti plenty /ˈplenti/

ruoansulatus digestion /diˈdʒestʃən/

ruoansulatushäiriö indigestion /indiˈdʒestʃn/

ruoho grass /graːs/

ruoka food /fuːd/

ruokahalu appetite /ˈæpitait/

ruokakauppa grocer /ˈgrəusə/

ruokalaji dish /diʃ/

ruokalista menu /ˈmenjuː/

ruokamyrkytys food poisoning /fuːd ˈpɔizniŋ/

ruokasali dining-room /ˈdainiŋ ruːm/

ruokavalio diet /ˈdaiət/

ruokaöljy cooking oil /ˈkukiŋ ɔil/

ruoste rust /rʌst/

ruostumaton teräs stainless steel /ˈsteinles stiːl/

rusina raisin /ˈreizn/

ruskea brown /braun/

ruskettunut suntanned /ˈsʌntænd/

ruumis body /ˈbodi/

ruusu rose /rəuz/

ruuvi screw /skruː/

ruuvitaltta screwdriver /ˈskruːdraivə/

ryhmitys (liikenteessä) preselecting the line /prisiˈlektiŋ ðə lain/

ryhmä group /gruːp/

rypistymätön
  creaseproof /'kri:spru:f/
rypistyä crease /kri:s/
ryöstö robbery /'robəri/

S

saada get /get/
saapas boot /bu:t/
saapuminen arrival
  /ə'raivl/
saapumiskaavake
  registration form
  /redʒi'streiʃn fɔ:m/
saari island /'ailənd/
saastuminen pollution
  /pə'lu:ʃn/
saattaa (joku) see
  home, see off /si:
  həum, si: of/
sade rain /rein/
sadekuuro shower
  /'ʃauə/
sadetakki raincoat
  /'reinkəut/
sadonkorjuu harvesting
  /'ha:vistiŋ/
saha saw /sɔ:/
saippua soap /səup/
sairaala hospital
  /'hospitl/
sairaanhoitaja nurse
  /nɜ:s/
sairas ill /il/
sairasauto ambulance
  /'æmbjuləns/
sairaus illness, disease
  /'ilnis, di'zi:z/

räätäli tailor /'teilə/
röntgenkuva x-ray /'eks
  rei/

sairauskohtaus attack
  /ə'tæk/
sairausvakuutus health
  insurance /helθ
  in'ʃuərəns/
šakki chess /tʃes/
sakko fine /fain/
sakset scissors /'sizəz/
salaatinkastike salad
  dressing /'sæləd 'dresiŋ/
salaatti salad /'sæləd/
salaisuus secret
  /'si:krit/
salakuljettaa smuggle
  /'smʌgl/
salama lightning
  /'laitniŋ/
salamavalo flash light
  /flæʃ lait/
salamimakkara salami
  /sə'la:mi/
sali hall /hɔ:l/
salkku briefcase
  /'bri:fkeis/
sallia let, allow /let,
  ə'lau/
sallittu permitted
  /pə'mitid/
sama same /seim/
sametti velvet /'velvit/

sampoo shampoo /ʃæm'puː/

sana word /wɜːd/

sanakirja dictionary /'dikʃənri/

sandaalit sandals /'sændls/

sanko pail /peil/

sanoa say /sei/

sanomalehti newspaper /'njuːspeipə/

sarjalippu serial ticket /'siəriəl 'tikit/

sataa lunta snow /snəu/

sataa vettä rain /rein/

satama harbour /'haːbə/

sateenvarjo umbrella /ʌm'brelə/

satiini satin /'sætin/

sattua (tapahtua) happen /'hæpən/

satuttaa hurt /hɜːt/

sauna sauna /'saunə/

sauvat (suksis.) sticks /stiks/

savuke cigarette /sigə'ret/

savukekotelo cigarette case /sigə'ret keis/

savustettu smoked /sməukt/

se it, that /it, ðæt/

seinä wall /wɔːl/

seis! stop! /stop/

sekki cheque /tʃek/

sekoittaa mix /miks/

sekoitus mixture /'mikstʃə/

seksikauppa sex shop /seks ʃop/

sekunti second /'sekənd/

sekä ... että both ... and /bəuθ ... ənd/

selkä back /bæk/

selkäranka spine /spain/

selkäsärky backache /'bækeik/

sellainen such /sʌtʃ/

selvittää explain /ik'splein/

selvitys explanation /eksplə'neiʃn/

sen its /its/

serkku cousin /'kʌzn/

sesonki season /'siːzn/

sesonkihinta seasonal price /'siːzənl prais/

seteli note /nəut/

setä uncle /'ʌŋkl/

seura company /'kʌmpəni/

seuraava next /nekst/

seuramatka conducted tour /kən'dʌktid tuə/

seurata follow /'foləu/

shortsit shorts /ʃɔːts/

sianliha pork /pɔːk/

side bandage /'bændidʒ/

sideharso gauze /gɔːz/

siellä there /ðeə/

sielu soul /səul/

sieni mushroom /'mʌʃrum/

sievä nice /nais/

siipikarja poultry /'pəultri/

siisti tidy /'taidi/

siitä lähtien since /sins/

siivooja cleaner /'kli:nə/

siivota clean /kli:n/

sika pig /pig/

sikari cigar /si'ga:/

siksi therefore /'ðeəfɔ:/

sileä smooth /smu:ð/

silittämättä siisti wash'n'wear /wɒʃ ən weə/

silittää press /pres/

silitysrauta iron /'aiən/

silkki silk /silk/

silli herring /'heriŋ/

silloin then /ðen/

sillä aikaa while /wail/

silminnäkijä eyewitness /'aiwitnis/

silmä eye /ai/

silmälasit eyeglasses, spectacles /'aigla:siz, 'spektəkls/

silta bridge /bridʒ/

simpukka mussel /'mʌsl/

sinappi mustard /'mʌstəd/

sininen blue /blu:/

sinun your /jɔ:(r)/

sinä you /ju:/

sipuli onion /'ʌniən/

sisar sister /'sistə/

sisarenpoika nephew /'nevju:/

sisarentytär niece /ni:s/

sisäelimet offals /ofls/

sisällä inside /in'said/

sisältyä hintaan be included in the price /bi: in'klu:did in ðə prais/

sisältö contents /'kontents/

sisään in /in/

sisäänajo (liikenteessä) in /in/

sisäänkäynti entrance /'entrəns/

sisäänpääsy admission /əd'miʃn/

siten thus /ðʌs/

sitoa tie /tai/

sitruuna lemon /'lemən/

sitruunajuoma lemon drink /'lemən driŋk/

siunata bless /bles/

sivu (kirjan) page /peidʒ/

sivulla (vieressä) next to /nekst tə/

skootteri scooter /'sku:tə/

smokki dinner jacket /'dinə 'dʒækit/

soikea oval /'əuvl/

soitin instrument /'instrumənt/

soittaa (jtk instrumenttia) play /plei/

soittaa puhelimella call, phone /kɔ:l, fəun/

soitto music /'mju:zik/

soittokunta band /bænd/

sokea blind /blaind/
sokeri sugar /'ʃugə/
sokeritauti diabetes /daiə'biːtiz/
sokki shock /ʃok/
solisluu collar bone /'kolə bəun/
solmio tie /tai/
solmioneula tie pin /tai pin/
soma nice /nais/
sopia (tapaamisesta) fix /fiks/
sopia (vaate) suit /suːt/
sopiva suitable /'suːtəbl/
sormi finger /'fiŋgə/
sormus ring /riŋ/
sosialismi socialism /'səuʃəlizəm/
sota war /wɔː/
sotilas soldier /'səuldʒə/
soutaa row /rəu/
sovittaa (vaatetta) fit /fit/
spaghetti spaghetti /spə'geti/
stadion stadium /'steidiəm/
suhde relation /ri'leiʃn/
suihku shower /'ʃauə/
suihkulähde fountain /'fauntin/
sukellus diving /daiviŋ/
sukellusvälineet skin-diving equipment /skin daiviŋ i'kwipmənt/
sukka sock /sok/

sukka (pitkä) stocking /'stokiŋ/
sukkahousut tights /taits/
suklaa chocolate /'tʃoklət/
sukset skis /skiːs/
sukulainen relative /'relətiv/
sukunimi surname, family name /'səːneim, 'fæməli neim/
sulaa melt /melt/
suljettu closed /kləust/
sulkea kiinni (suljettu) shut /ʃʌt/
sumu fog /fog/
sunnuntai Sunday /'sʌndi/
suo marsh /maːʃ/
suodatin filter /'filtə/
suoja shelter /'ʃeltə/
suojakypärä protective helmet /prə'tektiv 'helmit/
suojapuku protecting clothes /prə'tektiŋ kləuðz/
suojatie pedestrian crossing /pi'destriən krosiŋ/
suojella protect /prə'tekt/
suola salt /sɔːlt/
suolisto intestines /in'testins/
suoni vein /vein/
suora straight /streit/

suoraan direct, straight on /di'rekt, streit/
suorakulmainen rectangular /rek'tæŋgjulə/
suositella recommend /rekə'mend/
suosittu popular /'popjulə/
super (bensiini) premium /'pri:miəm/
surullinen sad /sæd/
suu mouth /mauθ/
suudelma kiss /kis/
suunnaton enormous /i'nɔ:məs/
suunnitelma plan /plæn/
suunta direction /di'rekʃn/
suuntanumero area code /'eəriə kəud/
suurempi bigger /bigə/
suurenmoinen magnificient /mæg'nifisnt/
suurentaa enlarge /in'la:dʒ/
suuri large, great, big /la:dʒ, greit, big/
suurkaupunki big city /big 'siti/
suurlähetystö embassy /'embəsi/
suutari shoemaker /'ʃu:meikə/
sydän heart /ha:t/
sydänkohtaus heart attack /ha:t ə'tæk/

sydänvika weak heart /wi:k ha:t/
sykkivä pulsating /pʌl'seitiŋ/
syksy autumn /'ɔ:təm/
synagoga synagogue /'sinəgog/
synteettinen synthetic /sin'θetik/
syntymä birth /bɜ:θ/
syntymäpaikka birthplace /'bɜ:θpleis/
syntymäpäivä birthday /'bɜ:θdei/
systeemi system /'sistəm/
sysätä push /puʃ/
sytytys ignition /ig'niʃn/
sytytystulppa spark plug /spa:k plʌg/
syvä deep /di:p/
syy reason, cause /'ri:zn, kɔ:z/
syyllinen guilty /gilti/
syyskuu September /sep'tembə/
syyttää accuse /ə'kju:z/
syytön innocent /'inəsnt/
syödä eat /i:t/
syöpä cancer /'kænsə/
sähke telegram /'teligræm/
sähkö electricity /ilek'trisəti/
sähköinen electric /i'lektrik/
sähköjohto wire /'waiə/

sähköjuna electric train /i'lektrik trein/

sähköjärjestelmä electric system /i'lektrik 'sistəm/

sähkölamppu electric lamp /i'lektrik læmp/

sähköparranajokone electric shaver /i'lektrik 'ʃeivə/

sähkövatkain mixer /'miksə/

säilykepurkki tin /tin/

säilykkeet tinned food /tind fu:d/

sälekaihdin Venetian blind /və'ni:ʃn blaind/

sämpylä roll /rəul/

särkeä break /breik/

särkeä (koskea) ache /eik/

särkyvä fragile /'frædʒail/

sää weather /'weðə/

sääli! a pity! /ə 'piti/

sääli pity /'piti/

säännöllinen regular /'regjulə/

sääntö rule /ru:l/

sääri leg /leg/

sääski mosquito /mə'ski:təu/

säästää save /seiv/

T

taaksepäin backwards /'bækwəds/

tabletti tablet /'tæblit/

tahra spot, stain /spot, stein/

tahranpoistoaine stain remover /stein ri'mu:və/

tahtoa will /wil/

tai or /ɔ:/

taide art /a:t/

taidegalleria art gallery /a:t 'gæləri/

taidemaalari artist /'a:tist/

taimen trout /traut/

taistella fight /fait/

taistelu fight /fait/

taiteilija artist /'a:tist/

taito skill /skil/

taivas sky /skai/

taivutella persuade /pə'sweid/

tajuton unconscious /ʌn'konʃəs/

takaisin back /bæk/

takana behind /bi'haind/

takavalot tail lights /teil laits/

takka fire-place /'faiə pleis/

takki jacket /'dʒækit/

taksa rate /reit/

taksi taxi /'tæksi/

takuumaksu deposit /di'pozit/

tallelokero safe-deposit box /seif di'pozit boks/

talletus deposit /di'pozit/

talo house /haus/

talvi winter /'wintə/

talviaika wintertime /'wintətaim/

talviloma winter vacation /wintə və'keiʃn/

tammikuu January /'dʒænjuəri/

tankki täyteen fill the tank, please /fil ðə tæŋk pli:z/

tanssia dance /da:ns/

tanssiravintola restaurant with dancing /'restront wið 'da:nsiŋ/

tanssit dance /da:ns/

tapa way /wei/

tapaaminen appointment /ə'pɔintmənt/

tapahtua happen /'hæpən/

tapahtuma event /i'vent/

tapaus case /keis/

tapella fight /fait/

tappaa kill /kil/

tarjoilija waitress f, waiter m /'weitris, 'weitə/

tarjoilla serve /sɜ:v/

tarjous offer /'ofə/

tarkastella regard /ri'ga:d/

tarkkaavaisuus attention /ə'tenʃn/

tarkoitus purpose /'pɜ:pəs/

tarpeeksi enough /i'nʌf/

tarpeellinen necessary /'nesəsəri/

tarttuva contagious /kən'teidʒəs/

tartunta infection /in'fekʃn/

tarvita need /ni:d/

tasainen flat /flæt/

tasata (tukka) trim /trim/

tasavirta D.C. /di: si:/

tasku pocket /'pokit/

taskukirja paper back /'peipə bæk/

taskulamppu torch /tɔ:tʃ/

taskulaskin pocket-calculator /'pokit 'kælkjuleitə/

taskuvaras pickpocket /'pikpokit/

taskuveitsi pocket-knife /'pokit naif/

taso level /'levl/

tauko pause /pɔ:z/

tavallinen ordinary, common /'ɔ:dinri, 'komən/

tavallisesti usually /'ju:ʒəli/

tavarat goods /guds/

tavaratalo department store /di'pa:tmənt stɔ:/

tavat manners /'mænəz/

tavata meet /mi:t/

tavoittaa reach /ri:tʃ/

te you /ju:/

teatteri theatre /'θiətə/

tee tea /ti:/

teelautanen saucer /'sɔ:sə/

teelusikka teaspoon /'ti:spu:n/

teeskennellä pretend /pri'tend/

tehdas factory /'fæktəri/

tehdä do, make /du:, meik/

tehdä työtä work /wɜ:k/

tehokas effective /i'fektiv/

tehtävä errand /'erənd/

teidän your /yɔ:(r)/

teippi adhesive tape /əd'hi:siv teip/

tekohampaat denture /'dentʃə/

tekosilkki artificial silk /a:ti'fiʃl silk/

televisio television /'teliviʒn/

teltta tent /tent/

telttailu camping /'kæmpiŋ/

telttatuoli beach chair /bi:tʃ tʃeə/

tenniskenttä tennis court /'tenis kɔ:t/

tennismaila tennis racket /'tenis 'rækit/

tennistossut tennis shoes /'tenis ʃu:s/

teollisuus industry /'indəstri/

terassi terrace /'terəs/

termostaatti thermostat /'θɜ:məstæt/

terve healthy /helθi/

tervehdys greeting /gri:tiŋ/

tervetuloa! welcome! /'welkəm/

terveys health /helθ/

terveysside sanitary towel /'sænitri 'tauəl/

teryleeni terylene /'terəli:n/

teräs steel /sti:l/

terävä sharp /ʃa:p/

teurastaja butcher /'butʃə/

tie road /rəud/

tiede science /'saiəns/

tiedotus report /ri'pɔ:t/

tietenkin of course /əv kɔ:s/

tietokone computer /kəm'pju:tə/

tietysti certainly, of course /'sɜ:tnli, əv kɔ:s/

tietyö road works /rəud wɜ:ks/

tietää know /nəu/

tiili brick /brik/

tiistai Tuesday /'tju:zdi/

tikapuut ladder /'lædə/

tila room /ru:m/

tilaisuus chance /tʃa:ns/

tilanne situation /ˈsitʃuˈeiʃn/

tilata order /ˈɔːdə/

timantti diamond /ˈdaiəmənd/

tina tin /tin/

tislattu vesi distilled water /diˈstild ˈwɔːtə/

titteli title /ˈtaitl/

tiukka tight /tait/

toaletti toilet /ˈtɔilit/

toalettilaukku toilet bag /ˈtɔilit bæg/

todella really /ˈriəli/

todennäköisesti probably /ˈprobəbli/

todistaja witness /ˈwitnis/

todiste proof /pruːf/

tohvelit slippers /ˈslipəːs/

toiminta action /ˈækʃn/

toimisto office /ˈofis/

toimittaa deliver /diˈlivə/

toimiva active /ˈæktiv/

toinen another, other /əˈnʌðə, ˈʌðə/

toinen luokka (esim. junassa) second class /ˈsekənd klaːs/

toipua recover /riˈkʌvə/

toistaa repeat /riˈpiːt/

toivoa hope, wish /həup, wiʃ/

tomaatti tomato /təˈmaːtəu/

tomaattimehu tomato juice /təˈmaːtəu dʒuːs/

tomaattisose tomato puree /təˈmaːtəu ˈpjuərei/

tori square /skweə/

torni tower /ˈtauə/

torstai Thursday /ˈθɜːzdi/

torua scold /skəuld/

tosi true /truː/

tosiasia fact /fækt/

totella obey /əˈbei/

tottunut jhk used to /juːst tə/

totuus truth /truːθ/

toukokuu May /mei/

treffit date /deit/

tuhkakuppi ash-tray /ˈæʃtrei/

tuhkarokko measles /ˈmiːzlz/

tuhlata aikaa waste time /weist taim/

tuhma naughty /ˈnɔːti/

tuhota destroy /diˈstrɔi/

tukankuivaaja hair drier /heə ˈdraiə/

tukanleikkuu haircut /ˈheəkʌt/

tukanpesuaine shampoo /ʃæmˈpuː/

tuki support /səˈpɔːt/

tukka hair /heə/

tulehdus inflammation /infləˈmeiʃn/

tulehtunut infected /inˈfektid/

tulenarka inflammable /inˈflæməbl/

tulevaisuus future /ˈfjuːtʃə/

tuli fire /ˈfaiə/

tulipalo fire /ˈfaiə/

tulitikku match /mætʃ/

tulkki interpreter /inˈtɜːpritə/

tulla come /kʌm/

tulla jksk become /biˈkʌm/

tullata declare /diˈkleə/

tullattava to declare /tə diˈkleə/

tulli customs /ˈkʌstəms/

tulli-ilmoituskaavake customs declaration form /ˈkʌstəms dekləˈreiʃn fɔːm/

tullimaksu duty /ˈdjuːti/

tulo arrival /əˈraivl/

tulos result /riˈzʌlt/

tulostaa print /print/

tumma dark /daːk/

tunne feeling /ˈfiːliŋ/

tunneli tunnel /ˈtʌnl/

tunnistaa recognize /ˈrekəgnaiz/

tunnustaa confess /kənˈfes/

tuntea feel /fiːl/

tuntea (tietää) know /nəu/

tunti hour /ˈauə/

tuo that /ðæt/

tuoda bring /briŋ/

tuoli chair /tʃeə/

tuolla there /ðeə/

tuolloin then /ðen/

tuomio sentence /ˈsentəns/

tuomiokirkko cathedral /kəˈθiːdrəl/

tuore fresh /freʃ/

tuoremehu juice /dʒuːs/

tuote product /ˈprodʌkt/

tupakansytytin cigarette lighter /sigəˈret ˈlaitə/

tupakka tobacco /təˈbækəu/

tupakkakauppa tobacconist's /təˈbækənist/

tupakkavaunu smokers /ˈsməukəːs/

tupakoida smoke /sməuk/

tupakoimattomien osasto non-smoking compartment /nonˈsməukiŋ kəmˈpaːtmənt/

tupakoivien osasto smoking compartment /ˈsməukiŋ kəmˈpaːtmənt/

turisti tourist /ˈtuərist/

turistiluokka economy class /iˈkonəmi klaːs/

turkki furcoat /ˈfɜːkəut/

turkoosi turquoise /ˈtɜːkwɔiz/

turska cod /kod/

turvallinen safe /seif/

turvallisuus safety /ˈseifti/

turvoksissa swollen
/'swəulən/

turvotus swelling
/'sweliŋ/

tusina dozen /'dʌzn/

tussikynä felt pen /felt
pen/

tutkia examine
/ig'zæmin/

tutkimus (lääkärissä)
examination
/igzæmi'neiʃn/

tuuletin fan /fæn/

tuuli wind /wind/

tuulilasi windscreen
/'windskri:n/

tuulilasinpyyhkimet
windscreen wipers
/'windskri:n 'waipə:s/

tweed tweed /twi:d/

tyhjä empty /'empti/

tynnyri barrel /'bærəl/

typerys fool /fu:l/

typerä stupid /'stju:pid/

tyttö girl /gə:l/

tytär daughter /'dɔ:tə/

tyylikäs stylish /'stailiʃ/

tyyny cushion /'kuʃn/

tyynyliina pillow case
/'piləu keis/

tyypillinen typical
/'tipikl/

tyytyväinen satisfied
/'sætisfaid/

työ work /wə:k/

työkalu tool /tu:l/

työmatka trip to work
/trip tə wə:k/

työntää push /puʃ/

työpäivä working day
/wə:kiŋ dei/

tähti star /sta:/

täkki quilt /kwilt/

tämä this /ðis/

tänä iltana tonight
/tə'nait/

tänä yönä tonight
/tə'nait/

tänään today /tə'dei/

tärkeä important
/im'pɔ:tnt/

täti aunt /a:nt/

täydellinen perfect,
complete /'pə:fikt,
kəm'pli:t/

täydentää finish /'finiʃ/

täynnä full /ful/

täysihoito full board
/ful bɔ:d/

täysihoitola
boarding-house /'bɔ:diŋ
haus/

täysvakuutus full
insurance /ful
in'ʃuərəns/

täytekynä fountain pen
/'fauntin pen/

täyttää fill /fil/

täytyä must /mʌst/

täällä here /hiə/

tölkinaukaisin tin
opener /tin 'əupənə/

törmäys crash /kræʃ/

U

uhata threaten /'θretn/

uida swim /swim/

uimahalli public swimming pool /'pʌblik 'swimiŋ pu:l/

uimalakki swimming cap /'swimiŋ kæp/

uimapuku bathing suit /'beiðiŋ su:t/

uimaranta beach /bi:tʃ/

ujo shy /ʃai/

ukkonen thunder /'θʌndə/

ulkomaalainen foreigner /'forənə/

ulkomailla abroad /ə'brɔ:d/

ulkomainen foreign /'forən/

ulkona outside /aut'said/

ulos out /aut/

ulosajo (liikenteessä) exit /'eksit/

uloskäynti exit /'eksit/

ulostenäyte specimen of stools /'spesimin əv stu:ls/

ulostusaine laxative /'læksətiv/

ummetus constipation /konsti'peiʃn/

umpilisäke appendix /ə'pendiks/

uni dream /dri:m/

unitabletti sleeping pill /'sli:piŋ pil/

unohtaa forget /fə'get/

untuvapeite eiderdown /'aidədaun/

upseeri officer /'ofisə/

ura (uurre) rut /rʌt/

urheilu sport /spɔ:t/

urheiluasu sportswear /'spɔ:tsweə/

urheiluauto sportscar /'spɔ:tska:/

urheiluliike sporting goods shop /'spɔ:tiŋ guds ʃop/

useat several /'sevrəl/

usein often /'ofn/

uskaltaa dare /deə/

uskoa believe /bi'li:v/

uskonto religion /ri'lidʒən/

uskoton unfaithful /ʌn'feiθfl/

utelias curious /'kjuəriəs/

uuni oven /'ʌvn/

uushopea German silver /'dʒɜ:mən 'silvə/

uusi new /nju:/

uusi vuosi New Year /nju: jɜ:/

uutiset news /nju:z/

V

vaakasuora horizontal /hori'zontl/

vaalea light /lait/

vaaleanpunainen pink /piŋk/

vaalennus (hiusten) blond rinse /blond rins/

vaali election /i'lekʃn/

vaara danger /'deindʒə/

vaarallinen dangerous /'deindʒərəs/

vaatekaappi wardrobe /'wɔ:drəub/

vaateripustin hanger /'hæŋə/

vaatesäilö cloakroom /'kləukru:m/

vaatia demand /di'ma:nd/

vaatimaton modest /'modist/

vaatimus claim /kleim/

vaatteet clothes /kləuðz/

vadelma raspberry /'ra:zbri/

vahinko harm, damage /ha:m, 'dæmidʒ/

vahvistaa confirm /kən'fɜ:m/

vaihde (auton) gear /giə/

vaihde (puhelinv.) telephone exchange /'telifəun ik'stʃeindʒ/

vaihdelaatikko gear box /giə boks/

vaihdetanko gear lever /giə 'li:və/

vaihtaa change, exchange /tʃeindʒ, ik'stʃeindʒ/

vaihtaa vaatteita change clothes /tʃeindʒ kləuðz/

vaihto change /tʃeindʒ/

vaihtokurssi exchange rate /ik'stʃeindʒ reit/

vaihtoraha change /tʃeindʒ/

vaihtovirta A.C. /ei si:/

vaikea difficult /'difikəlt/

vaikka though /ðəu/

vaikutus influence /'influəns/

vaimo wife /waif/

vain only /'əunli/

vaiva trouble(s) /'trʌbl(z)/

vaivata trouble /'trʌbl/

vakava serious /'siəriəs/

vakuuttaa convince /kən'vins/

vakuutus insurance /in'ʃuərəns/

valehdella lie /lai/

valhe lie /lai/

valintamyymälä supermarket /'su:pəma:kit/

valita choose /tʃu:z/

valitus complaint /kəm'pleint/

valkoinen white /wait/

valkosipuli garlic /'ga:lik/

valkoviini white wine /wait wain/

valmis ready, finished /'redi, finiʃt/

valmistaa make, prepare /meik, pri'peə/

valo light /lait/

valoisa light /lait/

valokopio photocopy /'fəutəukopi/

valokuva photo(graph) /'fəutə(gra:f)/

valokuvauskone camera /'kæmərə/

valokuvausliike photographer's /fə'togrəfəs/

valottaa (valokuvauksessa) expose /ik'spəuz/

valotusmittari exposure metre /ik'spəuʒə 'mi:tə/

valtamaantie highway /'haiwei/

valtimo artery /'a:təri/

valtio state /steit/

valuutta currency /'kʌrənsi/

valuuttakurssi exchange rate /ik'stʃeindʒ reit/

valvonta control /kən'trəul/

vamma injury /'indʒəri/

vangita catch /kætʃ/

vanha old /əuld/

vanhanaikainen old-fashioned /əuldfæʃənd/

vanhemmat parents /'peərənts/

vankila prison /'prizn/

vannoa swear /sweə/

vapaa free /fri:/

vapaa pääsy admission free /əd'miʃn fri:/

vapaapäivä holiday, day off /'holədei, dei of/

vapaus freedom /'fri:dəm/

vappu the first of May /ðə fɜ:st əv mei/

varaosa spare part /speə pa:t/

vararengas spare wheel /speə wi:l/

varas thief /θi:f/

varastaa steal /sti:l/

varasto stock /stok/

varat mean(s) /mi:n(s)/

varata reserve /ri'zɜ:v/

varattu occupied /'okjupaid/

varaus reservation /rezə'veiʃn/

varjo shadow /'ʃædəu/

varma sure /ʃuə/

varoittaa warn /wɔːn/
varoitus warning /'wɔːnɪŋ/
varoituskolmio warning triangle /'wɔːnɪŋ 'traiæŋgl/
varokaa! look out! /luk aut/
varovainen careful /'keəfl/
varovasti! carefully! /'keəfəli/
varten for /fɔː/
vartio guard /gɑːd/
vartioida watch /wɒtʃ/
varusteet equipment /i'kwipmənt/
varvas toe /təu/
vasara hammer /'hæmə/
vasemmalle to the left /tə ðə left/
vasen left /left/
vasikanliha veal /viːl/
vasikka calf /kɑːf/
vastaan against /ə'genst/
vastaanottaa receive /ri'siːv/
vastaanottaja receiver /ri'siːvə/
vastaanotto surgery /'sɜːdʒəri/
vastaanottoaika surgery hour /'sɜːdʒəri 'auə/
vastaanottoapulainen receptionist /ri'sepʃnist/

vastapuhelu transferred charge call /træns'fɜːd tʃɑːdʒ kɔːl/
vastapäätä opposite /'ɒpəzit/
vastata answer /'ɑːnsə/
vastaväite objection /əb'dʒekʃn/
vastuullinen responsible /ri'spɒnsəbl/
vatsa stomach /'stʌmək/
vatsahaava ulcer /'ʌlsə/
vatsakipu stomach ache /'stʌmək eik/
vaunuosasto compartment /kəm'pɑːtmənt/
vauva baby /'beibi/
wc lavatory, toilet, W.C. /'lævətri, 'tɔilit/, 'dʌbljuː siː/
vedenpitävä waterproof /'wɔːtəpruːf/
veitsi knife /naif/
veli brother /'brʌðə/
veljenpoika nephew /'nevjuː/
veljentytär niece /niːs/
velvollisuus duty /'djuːti/
vene boat /bəut/
venttiili valve /vælv/
venähdys strain /strein/
verenpaine blood pressure /blʌd 'preʃə/
verenvuoto bleeding /bliːdɪŋ/

verho curtain /'kɜːtn/
veri blood /blʌd/
verinäyte specimen of blood /'spesimin əv blʌd/
verisuoni blood vessel /blʌd 'vesl/
vero tax /tæks/
veroton tax-free /tæks friː/
verrata compare /kəm'peə/
verryttelypuku track suit /træk suːt/
verstas workshop /'wɜːkʃɒp/
vesi water /'wɔːtə/
vesihana tap /tæp/
vesiputous water fall /'wɔːtə fɔːl/
vesirokko chicken-pox /'tʃikin poks/
vessa toilet, W.C. /'tɔilit, 'dʌblju: si:/
vessapaperi toilet paper /'tɔilit 'peipə/
vetoketju zipper /'zipə/
vetolaatikko drawer /drɔː/
vetää pull /pul/
video video /'vidiəu/
videokamera video camera /'vidiəu kæmərə/
videonauha videotape /'vidiəuteip/

videonauhuri videocassette recorder, VCR /'vidiəu kəset rikɔːdə, viːsiːaː/
viehkeys charm /tʃaːm/
viehättävä attractive, charming /ə'træktiv, 'tʃaːmiŋ/
vielä yet /jet/
vieläpä even /'iːvn/
viemäri drain /drein/
vientipalvelu export service /'ekspɔːt 'sɜːvis/
vierailla visit /'vizit/
vierailu visit /'vizit/
vieras strange, unknown /streindʒ, ʌn'nəun/
vieras (kutsuttu) guest /gest/
vierastyöläinen guest worker /gest 'wɜːkə/
viesti message /'mesidʒ/
vietellä seduce /si'djuːs/
vieteri spring /spriŋ/
viettää spend /spend/
vihainen angry /'æŋgri/
vihannekset vegetables /'vedʒtəblz/
vihanneskauppa greengrocer's /'griːngrəusəs/
vihanneskauppias green-grocer /'griːn grəusə/
vihata hate /heit/
viheltää whistle /'wisl/
vihjata hint /hint/
vihkisormus wedding ring /wediŋ riŋ/

vihkiä (avioliittoon) marry /'mæri/

vihollinen enemy /'enəmi/

vihreä green /gri:n/

vihurirokko German measles /'dʒɜ:mən 'mi:zlz/

viikko week /wi:k/

viikonloppu weekend /wi:k'end/

viikset moustache /mə'sta:ʃ/

viileä cool /ku:l/

viiltävä (kipu) stabbing /stæbiŋ/

viime last /la:st/

viimeinen last /la:st/

viina spirits /'spirits/

viinakauppa off-licence /'of laisns/

viini wine /wain/

viinietikka vinegar /'vinigə/

viinikauppa wine shop /wain ʃop/

viinilista wine list /wain list/

viinirypäle grape /greip/

viinitarha vineyard /'vinjəd/

viinitupa wine bar /wain ba:/

viipyä stay /stei/

viisas wise /waiz/

viisumi visa /'vi:zə/

viitata jhk refer to /ri'fɜ:tə/

viiva line /lain/

viivoitin ruler /'ru:lə/

vika fault /fɔ:lt/

vilja corn /kɔ:n/

viljapelto corn field /kɔ:n fi:ld/

vilkku direction indicator /di'rekʃn 'indikeitə/

villa wool /wul/

villapusero sweater /'swetə/

villatakki cardigan /'ka:digən/

vilpitön sincere /sin'siə/

vilustunut have a cold /hæv ə kəuld/

violetti violet /'vaiələt/

virallinen official /ə'fiʃl/

viranomaiset authorities /ɔ:'θorəti:z/

virhe error /'erə/

virkailija employee /emplɔi'i:/

virkamies official /ə'fiʃl/

virkistys refreshment /ri'freʃmənt/

virranjakaja distributor /distri'bju:tə/

virta current /'kʌrənt/

virta (vesi) flow /fləu/

virtsa urine /'juərin/

virvoitusjuoma soft drink /soft driŋk/

viski whisky /'wiski/

vitamiini vitamin /'vitəmin/

vitsi joke /dʒəuk/

voi butter /'bʌtə/

voida pahoin be sick /bi:
sik/
voida can /kæn/
voide ointment
/'ɔintmənt/
voileipä sandwich
/'sænwidʒ/
voileipäkeksi cracker
/'krækə/
voima force /fɔːs/
voimakas strong /strɔŋ/
voitelu (koneen)
lubrication
/luːbri'keiʃn/
voittaa win /win/
vuode bed /bed/
vuodenaika season
/'siːzn/
vuokra rent /rent/
vuokraemäntä landlady
/'lændleidi/
vuokraisäntä landlord
/'lændlɔːd/
vuokrata hire, rent
/'haiə, rent/
vuokrattavana to let /tə
let/
vuori mountain
/'mauntin/
vuorovesi tide /taid/
vuosi year /jɜː/
vuosijuhla anniversary
/æni'vɜːsəri/
vuosisata century
/'sentʃəri/
vuota skin /skin/
vuotava leaking /'liːkiŋ/
vyö belt /belt/
vähemmän less /les/

vähennys reduction
/ri'dʌkʃn/
vähentää subtract,
deduct /səb'trækt,
di'dʌkt/
vähintään at least /ət
liːst/
vähän a little /ə 'litl/
väkijuoma spirits
/'spirits/
välipala snack /snæk/
välittää (puhelu)
connect /kə'nekt/
välityspalkkio
commission /kə'miʃn/
välttyä escape /i'skeip/
välttää avoid /ə'vɔid/
väri colour /'kʌlə/
värifilmi colour film
/'kʌlə film/
värikartta colour chart
/'kʌlə tʃaːt/
värikynä colour pencil
/'kʌlə 'pensl/
värillinen coloured
/'kʌləd/
värisävytys colour rinse
/'kʌlə rins/
väritelevisio colour
television /'kʌlə
'teliviʒn/
värjäys (hiusten)
hair-dye /heə dai/
väsynyt tired /'taiəd/
väärin wrong /rɔŋ/
väärinymmärrys
misunderstanding
/misʌndə'stændiŋ/
väärä wrong /rɔŋ/

Y

yhden hengen huone
single room /'siŋgl
ru:m/
yhdensuuntainen single
ticket /'siŋgl 'tikit/
yhdessä together
/tə'geðə/
Yhdistyneet
Kansakunnat, YK
United Nations, U.N.
/ju:'naitid 'neiʃns, ju:
en/
yhteinen mutual
/'mju:tʃuəl/
yhteismajoitus
dormitory
accomodation
/'dɔ:mitri əkomə'deiʃn/
yhteys connection
/kə'nekʃn/
yhtiö firm /fə:m/
yhtäläinen equal
/'i:kwəl/
yksin alone /ə'ləun/
yksinkertainen simple
/'simpl/
yksisuuntainen
one-way /wʌn wei/
yksityinen private
/'praivit/
yksityismajoitus
private accomodation
/'praivit əkomə'deiʃn/
yleisö audience
/'ɔ:diəns/

ylellisyys luxury
/'lʌkʃəri/
ylhäällä up /ʌp/
ylikulku crossing
/'krosiŋ/
ylimääräinen extra
/'ekstrə/
ylinopeus overspeed
/'əuvəspi:d/
yliopisto university
/ju:ni'və:siti/
ylirasittunut
overstrained
/'əuvəstreind/
ylistää praise /preiz/
ylle over /'əuvə/
yllä over /'əuvə/
yllätys surprise
/sə'praiz/
ylpeä proud /praud/
yltää reach /ri:tʃ/
ylävuode upper berth
/'ʌpə bə:θ/
ymmärtää understand
/ʌndə'stænd/
ymmärtää väärin
misunderstand
/misʌndə'stænd/
ympyrä circle /'sə:kl/
ympäri around
/ə'raund/
ympäristö surroundings
/sə'raundiŋs/
yrittää try /trai/
yrtti herb /hə:b/
yskiä cough /kof/

yskä cough /kɒf/
yskänlääke cough medicine /kɒf 'medsn/
yskäntabletti cough lozenge /kɒf 'lozindʒ/
ystävä friend /frend/
ystävällinen friendly, kind /'frendli, kaind/
yö night /nait/
yökello night bell /nait bel/
yökerho night club /nait klʌb/

yönäytäntö late-night show /leit nait ʃəu/
yöpaita nightgown /'naitgaun/
yöportieeri night porter /nait 'pɔːtə/
yöpuku pyjamas /pə'dʒaːməz/
yöpyä stay over the night /stei 'əuvə ðə nait/

Ä

äiti mother /'mʌðə/
äkillinen sudden /'sʌdn/
älykäs intelligent /in'telidʒənt/
ärsyttää irritate /'iriteit/
ärtynyt irritated /'iriteitid/
äskettäin recently /'riːsntli/
äyriäinen shellfish /'ʃelfiʃ/

äänekäs loud /laud/
äänestää vote /vəut/
ääni sound /saund/
ääni (puhe) voice /vɔis/
äänilevy record /'rekɔːd/
äänimerkki (auton) signal /'signəl/
ääntää pronounce /prə'nauns/

Ö

öljy oil /ɔil/

PERUSLUVUT

0 zero	**18** eighteen
1 one	**19** nineteen
2 two	**20** twenty
3 three	**21** twenty-one
4 four	**22** twenty-two
5 five	**30** thirty
6 six	**40** forty
7 seven	**50** fifty
8 eight	**60** sixty
9 nine	**70** seventy
10 ten	**80** eighty
11 eleven	**90** ninety
12 twelve	**100** a hundred
13 thirteen	**101** a hundred and one
14 fourteen	**200** two hundred
15 fifteen	**1 000** a thousand
16 sixteen	**1 000 000** a million
17 seventeen	

PERUSSANASTO
ENGLANTI/SUOMI

A

a few /ə fju:/ muutama

a little /ə 'litl/ vähän

a lot of /ə lot əv/ paljon

a piece of jewelry /ə pi:s əv 'dʒu:əlri/ koru

a pity! /ə 'piti/ sääli!

able to /'eibl tə/ kykenevä

abortion /ə'bɔ:ʃn/ abortti

abroad /ə'brɔ:d/ ulkomailla

A.C. /ei si:/ vaihtovirta

accept /ək'sept/ hyväksyä

accident /'æksidənt/ onnettomuus

accommodation /əkomə'deiʃn/ majoitus

accuse /ə'kju:z/ syyttää

ache /eik/ koskea (tehdä kipeää)

ache /eik/ särkeä (koskea)

across /ə'kros/ poikki

acrylic /ə'krilik/ akryyli

action /'ækʃn/ toiminta

active /'æktiv/ toimiva

acute /ə'kju:t/ akuutti

add /æd/ lisätä

add together /æd tə'geðə/ laskea yhteen

address /ə'dres/ osoite

adhesive plaster /əd'hi:siv pla:stə/ laastari

adhesive tape /əd'hi:siv teip/ teippi

admire /əd'maiə/ ihailla

admission free /əd'miʃn fri:/ vapaa pääsy

admission /əd'miʃn/ sisäänpääsy

advance /əd'va:ns/ ennakko

advantage /əd'va:ntidʒ/ etu

advice /əd'vais/ neuvo

aeroplane /'eərəplein/ lentokone

after /'a:ftə/ jälkeen, kuluttua

afternoon /a:ftə'nu:n/ iltapäivä

aftershave lotion /'a:ftəʃeiv 'ləuʃn/ partavesi

again /ə'gen/ jälleen

against /ə'genst/ vastaan

age /eidʒ/ ikä

agree /ə'gri:/ olla yhtä mieltä

agriculture /'ægrikʌltʃə/ maatalous

air /eə/ ilma

air conditioning /eə kən'diʃniŋ/ ilmastointi

airmail /'eəmeil/ lentoposti

airport /'eəpɔ:t/
lentokenttä

alarm-clock /ə'la:rm
klok/ herätyskello

alcohol /'ælkəhol/
alkoholi

alive /ə'laiv/ elävä

all /ɔ:l/ kaikki

allergic /ə'lədʒik/
allerginen

allergy /'ælədʒi/ allergia

allow /ə'lau/ sallia

almost /'ɔ:lməust/
melkein

alone /ə'ləun/ yksin

along /ə'loŋ/ pitkin

alpaca /æl'pækə/
alpakka

already /ɔ:l'redi/ jo

also /'ɔ:lsəu/ myös

altitude /'æltitju:d/
korkeus

always /'ɔ:lweiz/ aina

amazing /ə'meiziŋ/
hämmästyttävä

amber /'æmbə/
meripihka

ambulance
/'æmbjuləns/
sairasauto, ambulanssi

among /ə'mʌŋ/
joukossa

amount /ə'maunt/
rahamäärä; lukumäärä

amulet /'æmjulit/
amuletti

amusement
/ə'mju:zmənt/ huvitus

amusing /ə'mju:siŋ/
huvittava

anchovy /'æntʃəvi/
anjovis

and /ænd/ ja

angry /'æŋgri/ vihainen

animal /'æniml/ eläin

ankle /'æŋkl/ nilkka

anniversary
/æni'vɜ:səri/ vuosijuhla

another /ə'nʌðə/ toinen

answer /'a:nsə/ vastata

ant /ænt/ muurahainen

antibiotic /æntibai'otik/
antibiootti

antifreeze /'æntifri:z/
pakkasneste

antique shop /æn'ti:k
ʃop/ antiikkiliike

antiques /æn'ti:ks/
antiikkiesineet

antiquity /æn'tikwəti/
antiikki

antiseptic /ænti'septik/
antiseptinen

anxious /'æŋkʃəs/
pelokas

any /'eni/ hiukan

aperitif /ə'perətif/
aperitiivi

appendix /ə'pendiks/
umpilisäke

appetite /'æpitait/
ruokahalu

appetizer /'æpitaizə/
alkupala

apple /'æpl/ omena

appointment
/ə'pɔintmənt/
ajanvaraus; tapaaminen
appreciate /ə'pri:ʃieit/
pitää arvossa
approve /'əpru:v/
hyväksyä
approximately
/ə'proksimətli/ noin
apricot /'eiprikot/
aprikoosi
April /'eiprəl/ huhtikuu
aquarium /ə'kweəriəm/
akvaario
architect /'a:kitekt/
arkkitehti
architecture
/'a:kitektʃə/
arkkitehtuuri
area code /'eəriə kəud/
suuntanumero
arm /a:m/ käsivarsi
army /'a:mi/ armeija
around /ə'raund/
ympäri
arrange /ə'reindʒ/
järjestää
arrival /ə'raivl/ tulo,
saapuminen
art /a:t/ taide
art gallery /a:t 'gæləri/
taidegalleria
artery /'a:təri/ valtimo
artichoke /'a:titʃəuk/
artisokka
artifial light /a:ti'fiʃl
lait/ keinovalo
artificial /a:ti'fiʃl/
keinotekoinen

artificial limb /a:ti'fiʃl
lim/ proteesi
artificial silk /a:ti'fiʃl
silk/ tekosilkki
artist /'a:tist/ taiteilija,
taidemaalari
as far as /əz fa:(r)əz/
asti (paikasta)
as though /əz ðəu/
ikään kuin
ash-tray /'æʃtrei/
tuhkakuppi
ask /a:sk/ kysyä
ask for /a:sk fɔ:/ anoa
asparagus /ə'spærəgəs/
parsa
assault /ə'sɔ:lt/
hyökkäys; pahoinpitely
asthma /'æsmə/ astma
at last /ət la:st/ lopulta
at least /ət li:st/
vähintään
at times /ət taimz/
ajoittainen
attack /ə'tæk/ hyökätä,
hyökkäys;
sairauskohtaus
attention /ə'tenʃn/
tarkkaavaisuus
attitude /'ætitju:d/
asenne
attractive /ə'træktiv/
viehättävä
audience /'ɔ:diəns/
yleisö
August /'ɔ:gəst/ elokuu

aunt /a:nt/ täti
author /'ɔ:θə/ kirjailija
authorities /ɔ:'θorəti:z/ viranomaiset
automatic /ɔ:tə'mætik/ automaattinen
autumn /'ɔ:təm/ syksy

avalanche /'ævəla:nʃ/ lumivyöry
awful /'ɔ:fl/ kamala, kauhea
avoid /ə'vɔid/ välttää
axle /'æksəl/ akseli

B

baby /'beibi/ vauva
babysitter /'beibisitə/ lapsenvahti
bachelor /'bætʃələ/ poikamies
back /bæk/ takaisin; selkä; peruuttaa (auto)
backache /'bækeik/ selkäsärky
backwards /'bækwəds/ taaksepäin
bacon /'beikən/ pekoni
bad /bæd/ huono, paha
bag /bæg/ laukku, kassi; paperipussi
baker's /'beikəs/ leipomo
balcony /'bælkəni/ parveke
ball /bɔ:l/ pallo
ballet /'bælei/ baletti
ballpoint pen /bɔ:l pɔint 'pen/ kuulakärkikynä
banana /bə'na:nə/ banaani
band /bænd/ soittokunta
bandage /'bændidʒ/ side

bank /bæŋk/ pankki
bank account /bæŋk ə'kaunt/ pankkitili
bank card /bæŋk ka:d/ pankkikortti
bar /ba:/ baari
barber /'ba:bə/ parturi
bare /beə/ paljastaa
barn /ba:n/ lato
barrel /'bærəl/ tynnyri
base /beis/ jalusta (kameran)
basement /'beismənt/ kellari
bath /ba:θ/ kylpy
bathing suit /'beiðiŋ su:t/ uimapuku
bathrobe /'ba:θrəub/ kylpytakki
bathroom /'ba:θru:m/ kylpyhuone
baths /ba:θs/ kylpylä
battery /'bætəri/ akku, paristo
bay /bei/ lahti
be /bi:/ olla
be afraid /bi: ə'freid/ pelätä

be cold /bi: kəuld/ palella

be hungry /bi: 'hʌŋgri/ olla nälkäinen

be in order /bi: in ɔːdə/ olla kunnossa

be included in the price /bi: inˈkluːdid in ðə prais/ sisältyä hintaan

be late /bi: leit/ olla myöhässä

be lost /bi: lost/ olla eksyksissä

be mistaken /bi: miˈsteikn/ erehtyä

be out of order /bi: aut əv ˈɔːdə/ olla epäkunnossa

be pregnant /bi: ˈpregnənt/ olla raskaana

be seasick /bi: ˈsiːsik/ olla merisairas

be sick /bi: sik/ voida pahoin

be sleepy /bi: ˈsliːpi/ nukuttaa

be sorry /bi: ˈsori/ olla pahoillaan

be thirsty /bi: ˈθɜːsti/ olla janoinen

be wrong /bi: roŋ/ olla väärässä

beach /biːtʃ/ uimaranta

beach chair /biːtʃ tʃeə/ telttatuoli

bean /biːn/ papu

beard /biəd/ parta

beautiful /ˈbjuːtifl/ kaunis

beauty salon /ˈbjuːti ˈsælon/ kauneushoitola

because /biˈkoz/ koska

become /biˈkʌm/ tulla jksk

bed /bed/ vuode

bed-room /ˈbedruːm/ makuuhuone

bee /biː/ mehiläinen

beef /biːf/ häränliha, naudanliha

beer /biə/ olut

before /biˈfɔː/ ennen

beggar /ˈbegə/ kerjäläinen

begin /biˈgin/ alkaa

beginning /biˈginiŋ/ alku

behave /biˈheiv/ käyttäytyä

behaviour /biˈheiviə/ käytös

behind /biˈhaind/ takana

beige /beiʒ/ beige

believe /biˈliːv/ uskoa

bellboy /ˈbelbɔi/ hotellipoika

belong to /biˈloŋ tə/ kuulua jllek

beloved /biˈlʌvd/ rakastettu

belt /belt/ vyö

bench /bentʃ/ penkki

berth /bɜːθ/ makuusija

bet /bet/ lyödä vetoa

better /ˈbetə/ parempi

bicycle /'baisikl/
polkupyörä

big /big/ kookas, iso,
suuri

big city /big 'siti/
suurkaupunki

bigger /bigə/ isompi,
suurempi

bikini /bi'ki:ni/ bikinit

bill /bil/ lasku

binoculars /bi'nokjuləz/
kiikari

bird /bɜ:d/ lintu

birth /bɜ:θ/ syntymä

birthday /'bɜ:θdei/
syntymäpäivä

birthplace /'bɜ:θpleis/
syntymäpaikka

biscuit /'biskit/ keksi

bite /bait/ purra

bitter /'bitə/ katkera

black /blæk/ musta

black-and-white /blæk
ən wait/
mustavalkoinen

bladder /'blædə/ rakko

blanket /'blæŋkit/
huopa

bleeding /bli:diŋ/
verenvuoto

bless /bles/ siunata

blind /blaind/ sokea

blister /'blistə/ rakkula

blond rinse /blond rins/
vaalennus (hiusten)

blood /blʌd/ veri

blood pressure /blʌd
'preʃə/ verenpaine

blood vessel /blʌd
'vesl/ verisuoni

blouse /blauz/ pusero

blow /bləu/ isku

blue /blu:/ sininen

boarding-house
/'bɔ:diŋ haus/
täysihoitola

boat /bəut/ vene

body /'bodi/ ruumis

boil /bɔil/ kiehua; paise

boiled egg /bɔild eg/
keitetty kananmuna

book /buk/ kirja

booking office /'bukiŋ
'ofis/ paikkavaraamo

bookshop /'bukʃop/
kirjakauppa

boot /bu:t/ saapas

boring /bɔ:riŋ/
pitkäveteinen

borrow /'borəu/ ottaa
lainaksi, lainata
joltakulta

botanical garden
/bə'tænikl 'ga:dn/
kasvitieteellinen
puutarha

both /bəuθ/ kumpikin

both . . . and /bəuθ . . .
ənd/ sekä . . . että

bottle /'botl/ pullo

bottle opener /'botl
'əupənə/ pullonaukaisin

bottom /'botəm/ pohja

bouquet /bu'kei/
kukkakimppu

bowl /bəul/ malja

box /*boks*/ laatikko, rasia

boxing /*boksiŋ*/ nyrkkeily

boy /*bɔi*/ poika

bra /*bra:*/ rintaliivit

bracelet /*'breislit*/ rannerengas, ranneketju

brain /*brein*/ aivot

brake fluid /*breik 'flu:id*/ jarruneste

brake lights /*breik laits*/ jarruvalot

brake pedal /*breik 'pedl*/ jarrupoljin

brakes /*breiks*/ jarrut

brass /*bra:s*/ messinki

brasserie /*'bræsəri*/ olutkellari

brave /*breiv*/ rohkea

bread /*bred*/ leipä

break /*breik*/ rikkoa, särkeä

breakdown /*'breikdaun*/ konerikko, moottorivika

breakfast /*'brekfəst*/ aamiainen

breast /*brest*/ rinta

breathe /*bri:ð*/ hengittää

brick /*brik*/ tiili

bridge /*bridʒ*/ silta

briefcase /*'bri:fkeis*/ salkku

briefs /*bri:fs*/ alushousut (lyhyet), pikkuhousut

bring /*briŋ*/ tuoda

broad /*brɔ:d*/ leveä

broken /*'brəukən*/ rikki; katkennut; murtunut (esim. jalka)

brooch /*brəutʃ*/ rintakoru

brook /*bruk*/ puro

brother /*'brʌðə*/ veli

brown /*braun*/ ruskea

brown bread /*braun bred*/ ruisleipä

bruise /*bru:z*/ mustelma

brush /*brʌʃ*/ harja

building /*'bildiŋ*/ rakennus

bulb /*bʌlb*/ hehkulamppu

bump /*bʌmp*/ kuhmu (ihmisessä)

bun /*bʌn*/ nuttura

buried /*'berid*/ haudattu

burn /*bɜ:n*/ polttaa, palaa; palovamma

burnt /*bɜ:nt*/ palanut (auringossa)

bus /*bʌs*/ bussi

bus station /*bʌs 'steiʃn*/ linja-autoasema

bus stop /*bʌs stop*/ bussipysäkki

business /*'biznis*/ liikeasiat

business class /*'biznis kla:s*/ liikemiesluokka

business trip /*'biznis trip*/ liikematka

businessman /*'biznismæn*/ liikemies

but /*bʌt*/ mutta

butcher /'butʃə/
teurastaja
butcher's /'butʃə:s/
lihakauppa
butter /'bʌtə/ voi

buttermilk /'bʌtəmilk/
piimä
button /'bʌtn/ nappi
buy /bai/ ostaa

C

cabaret /'kæbərei/
kabaree
cabbage /'kæbidʒ/ kaali
cabin /'kæbin/ hytti
(laivassa)
café /'kæfei/ kahvila
cake /keik/ kakku
calf /ka:f/ vasikka
call /kɔ:l/ soittaa
puhelimella; puhelu
camel's hair /'kæmls
heə/ kamelinkarva
camera /'kæmərə/
kamera
camera bag /'kæmərə
bæg/ kameralaukku
camper /'kæmpə/
asuntovaunu
camp(ing) site
/'kæmpiŋ sait/
leirintäalue
camping /'kæmpiŋ/
leirintä, telttailu,
retkeily
can /kæn/ voida, osata
cancer /'kænsə/ syöpä
candle /'kændl/ kynttilä
canister /'kænistə/
kanisteri
cap /kæp/ lakki

capital /'kæpitl/
pääkaupunki
captain /'kæptin/
kapteeni
car /ka:/ (pikku)auto
car phone /ka: fəun/
autopuhelin
car radio /ka: 'reidiəu/
autoradio
car rental /ka: 'rentl/
autovuokraamo
carat /'kærət/ karaatti
caravan /'kærəvæn/
asuntovaunu
carburettor /ka:bju'retə/
kaasutin
card /ka:d/ kortti,
pelikortti
cardigan /'ka:digən/
villatakki
careful /'keəfl/
varovainen
carefully! /'keəfəli/
varovasti!
carnival /'ka:nivl/
karnevaali
carpet /'ka:pit/ matto
carrot /'kærət/ porkkana
carry /'kæri/ kantaa

carton /'kaːtn/ kartonki
(pakkaus)

case /keis/ oikeusjuttu,
tapaus

cash /kæʃ/ käteinen
raha

cashier /kə'ʃiə/ kassa

casino /kə'siːnəu/
kasino

castle /'kaːsl/ linna

cat /kæt/ kissa

catalogue /'kætəlog/
luettelo

catch /kætʃ/ vangita

cathedral /kə'θiːdrəl/
tuomiokirkko

Catholic /'kæθəlik/
katolilainen

cause /kɔːz/ syy

cave /keiv/ luola

cellar /'selə/ kellari

cemetery /'semətri/
hautausmaa

central heating
/'sentrəl 'hiːtiŋ/
keskuslämmitys

centre /'sentə/ keskusta,
keskus

century /'sentʃəri/
vuosisata

ceramics /si'ræmiks/
keramiikka

cereals /'siəriəls/ murot

certainly /'sɜːtnli/
tietysti

chain /tʃein/
(kaula)ketju

chair /tʃeə/ tuoli

chance /tʃaːns/
mahdollisuus, tilaisuus

change /tʃeindʒ/
muutos, vaihtoraha,
vaihto; vaihtaa

change clothes /tʃeindʒ
kləuðz/ vaihtaa
vaatteita

charm /tʃaːm/ viehkeys

charming /'tʃaːmiŋ/
viehättävä

chat /tʃæt/ jutella

cheap /tʃiːp/ halpa

cheaper /tʃiːpə/
halvempi

cheek /tʃiːk/ poski

cheers! /tʃiəz/ kippis!

cheese /tʃiːz/ juusto

chemist's /'kemists/
kemikaalikauppa,
rohdoskauppa; apteekki

cheque /tʃek/ sekki

cherry /'tʃeri/ kirsikka

chess /tʃes/ šakki

chest /tʃest/ rintakehä

chicken /'tʃikin/
kananpoika

chicken-pox /'tʃikin
poks/ vesirokko

child /tʃaild/ lapsi

children's bed
/'tʃildrəns bed/
lastenvuode

children's chair
/'tʃildrəns tʃeə/
lastentuoli

children's department
/'tʃildrəns di'pa:tmənt/
lastenosasto
(tavaratalossa)

children's room
/'tʃildrəns ru:m/
lastenhuone

children's ticket
/'tʃildrəns 'tikit/
lastenlippu

chocolate /'tʃoklət/
suklaa

choose /tʃu:z/ valita

chopped /tʃopt/
paloiteltu

Christmas /'krisməs/
joulu

chronic /'kronik/
krooninen

church /tʃɜ:tʃ/ kirkko

**church/worship
service** /'tʃɜːʃ warʃəp
'sɜ:vis/ jumalanpalvelus

cigar /si'ga:/ sikari

cigarette /sigə'ret/
savuke

cigarette case /sigə'ret
keis/ savukekotelo

cigarette lighter
/sigə'ret 'laitə/
tupakansytytin

cinema /'sinəmə/
elokuvateatteri

circle /'sɜ:kl/ ympyrä

city /'siti/ kaupunki

city hall /'siti hɔ:l/
kaupungintalo

claim /kleim/ vaatimus

classic(al) /'klæsik(l)/
klassinen

clean /kli:n/ siivota,
puhdistaa; puhdas

cleaner /'kli:nə/
siivooja

clear /kliə/ kirkas

clever /'klevə/ pystyvä

climate /'klaimit/
ilmasto

climb /klaim/ kiivetä

cloakroom /'kləukru:m/
vaatesäilö

closed /kləust/ suljettu,
kiinni

cloth /kloθ/ kangas

clothes /kləuðz/
vaatteet

cloud /klaud/ pilvi

clumsy /'klʌmzi/
kömpelö

clutch /klʌtʃ/ kytkin

coal /kəul/ hiili

coast /kəust/ rannikko

cocktail /'kokteil/
cocktail

cocktail party /'kokteil
pa:ti/ cocktailkutsut

cocoa /'kəukəu/ kaakao

cod /kod/ turska

coffee /'kofi/ kahvi

coffee maker /'kofi
meikə/ kahvinkeitin

coin /kɔin/ kolikko

cold (in the head)
/kəuld in ðə hed/ nuha

cold /kəuld/ kylmä,
kylmetys

cold meat /'kəuld mi:t/
leikkele

collar /'kolə/ kaulus

collar bone /'kolə bəun/
solisluu

collect /kə'lekt/ kerätä

collection /kə'lekʃn/
keräys

colour /'kʌlə/ väri

colour chart /'kʌlə tʃa:t/
värikartta

colour film /'kʌlə film/
värifilmi

colour pencil /'kʌlə
'pensl/ värikynä

colour rinse /'kʌlə rins/
värisävytys

colour television /'kʌlə
'telivɪʒn/ väritelevisio

coloured /'kʌləd/
värillinen

comb /kəum/ kampa

come /kʌm/ tulla

comedy /'komədi/
komedia

comfortable /'kʌmftəbl/
mukava

commerce /'komɜ:s/
kauppa

commission /kə'miʃn/
välityspalkkio

common /'komən/
tavallinen

Common Market
/'komən 'ma:kit/ EEC

communion
/kə'mju:niən/
ehtoollinen

communism
/'komjunizm/
kommunismi

company /'kʌmpəni/
seura

compare /kəm'peə/
verrata

compartment
/kəm'pa:tmənt/
vaunuosasto

compensate
/'kompenseit/ korvata

competition
/kompə'tiʃn/ kilpailu

complaint /kəm'pleint/
valitus

complate /kəm'pli:t/
täydellinen

computer /kəm'pju:tə/
tietokone

concert /'konsət/
konsertti

concert hall /'konsət
hɔ:l/ konserttitalo

condition /kən'diʃn/
ehto

conducted tour
/kən'dʌktid tuə/
seuramatka

conductor /kən'dʌktə/
konduktööri, junailija;
kapellimestari,
orkesterinjohtaja

conductor's car
/kən'dʌktəs ka:/
junailijanvaunu

confectionery
/kən'fekʃənəri/
konditoria

confess /kən'fes/
tunnustaa

confidence /'konfidəns/
luottamus

confirm /kən'fɜ:m/
vahvistaa

confused /kən'fju:zt/
hämmentynyt

congratulations!
/kəngrætju'leiʃns/
onneksi olkoon!

congress /'koŋgres/
kongressi

connect /kə'nekt/
välittää (puhelu)

connection /kə'nekʃn/
yhteys; jatkoyhteys
(matkalla)

consider /kən'sidə/
harkita

constipation
/konsti'peiʃn/ ummetus

consulate /'konsjulət/
konsulaatti

contact lenses
/'kontækt 'lenziz/
piilolasit

contagious
/kən'teidʒəs/ tarttuva

contents /'kontents/
sisältö

continue /kən'tinju:/
jatkaa

continuous
/kən'tinjuəs/ jatkuva

contraceptive
/kontrə'septiv/
ehkäisyväline

control /kən'trəul/
valvonta

conversation
/konvə'seiʃn/ keskustelu

convince /kən'vins/
vakuuttaa

cook /kuk/ laittaa
ruokaa, keittää; kokki

cooking oil /'kukiŋ ɔil/
ruokaöljy

cool /ku:l/ viileä

copper /'kopə/ kupari

copy /'kopi/ kopio

copying machine
/'kopiiŋ mə'ʃi:n/
kopiokone

cork /kɔ:k/ korkki

corkscrew /'kɔ:kskru:/
korkkiruuvi

corn /kɔ:n/ vilja

corn field /kɔ:n fi:ld/
viljapelto

corn flakes /kɔ:n fleiks/
maissihiutaleet

corner /'kɔ:nə/ kulma,
nurkka

cost /kost/ maksaa (olla
hintana); kustannus

costume /'kostju:m/
kävelypuku

cottage /'kotidʒ/
mökki, kesämökki

cotton /'kotn/ puuvilla

cotton (wool) /'kotn
(wul)/ pumpuli

couchette
compartment /ku:'ʃet
kəm'pa:tmənt/
lepovaunu
cough /kof/ yskä, yskiä
cough lozenge /kof
'lozindʒ/ yskäntabletti
cough medicine /kof
'medsn/ yskänlääke
count /kaunt/ laskea
counter /'kauntə/
luukku (asiointil.)
country's
identification sign
/'kʌntriz aidentifi'keiʃn
sain/ kansallistunnus
(autossa)
countryside
/'kʌntrisaid/ maaseutu
couple /'kʌpl/ pari
course /kɔ:s/ kurssi
court /kɔ:t/ oikeusistuin
courtyard /'kɔ:tja:d/
piha
cousin /'kʌzn/ serkku
cow /kau/ lehmä
crack /kræk/ halkeama
(pieni)
cracker /'krækə/
voileipäkeksi
cramp /kræmp/
kramppi, kouristus
crash /kræʃ/ kolari,
törmäys
crayfish /'kreifiʃ/ rapu
crazy /'kreizi/ hullu
cream /kri:m/ kerma
cream-coloured /kri:m
'kʌlə:d/ kermanvärinen

crease /kri:s/ rypistyä
creaseproof
/'kri:spru:f/
rypistymätön
create /kri:'eit/ luoda
credit card /'kredit
ka:d/ luottokortti
crime /kraim/ rikos
criminal /'kriminl/
rikollinen
crisp /krisp/ rapea
crisps /krisps/
perunalastut
cross /kros/ mennä yli
cross-country vehicle
/kros 'kʌntri 'vi:ikl/
maastoauto
crossing /'krosiŋ/
ylikulku
crossroads /'krosrəuds/
risteys
crown /kraun/ kruunu
cruel /kruəl/ julma
cry /krai/ itkeä; huutaa
cucumber /'kju:kʌmbə/
kurkku
cufflinks /'kʌfliŋks/
kalvosinnapit
culture /'kʌltʃə/
kulttuuri
cup /kʌp/ kuppi
cupboard /'kʌbəd/
kaappi
cure /kjuə/ parantaa
curious /'kjuəriəs/
utelias
curler /'kɜ:lə/ papiljotti
curls /kɜ:ls/ kiharat

currency /'kʌrənsi/
valuutta
**currency exchange
office** /'kʌrənsi
ik'stʃeindʒ 'ofis/
rahanvaihtotoimisto
current /'kʌrənt/ virta
curtain /'kɜ:tn/ verho
curve /kɜ:v/ mutka

cushion /'kuʃn/ tyyny
customs /'kʌstəms/ tulli
**customs declaration
form** /'kʌstəms
deklə'reiʃn fɔ:m/
tulli-ilmoituskaavake
cut /kʌt/ hiottu
cutlet /'kʌtlit/ kyljys

D

daily /'deili/
päivittäinen
daily (newspaper)
/'deili ('nju:speipə)/
päivälehti
daily payment /'deili
'peimənt/ päivämaksu
dairy /'deəri/
maitokauppa
damage /'dæmidʒ/
vahinko
damp /dæmp/ kostea
dance /da:ns/ tanssit;
tanssia
danger /'deindʒə/ vaara
danger to life /'deindʒə
tə laif/ hengenvaara
dangerous /'deindʒərəs/
vaarallinen
dare /deə/ uskaltaa
dark /da:k/ pimeä;
tumma
date /deit/ treffit;
päivämäärä
daughter /'dɔ:tə/ tytär
day /dei/ päivä

day off /dei of/
vapaapäivä
daylight /'deilait/
päivänvalo
D.C. /di: si:/ tasavirta
de luxe hotel /di 'lʌks
həu'tel/ loistohotelli
dead /ded/ kuollut
deaf /def/ kuuro
dear /diə/ rakas
December /di'sembə/
joulukuu
decide /di'said/ päättää
declare /di'kleə/ tullata
deduct /di'dʌkt/
vähentää
deep /di:p/ syvä
defend /di'fend/
puolustaa
degree /di'gri:/
lämpöaste
delay /di'lei/
myöhästyminen
delicacy /'delikəsi/
herkku

delicatessen /delikə'tesn/
herkkumyymälä

delicious /di'liʃəs/
herkullinen

delighted /di'laitid/
ihastunut

deliver /di'livə/
toimittaa

demand /di'ma:nd/
vaatia

democracy /di'mokrəsi/
demokratia

dentist /'dentist/
hammaslääkäri

denture /'dentʃə/
tekohampaat

deodorant /di:'əudərənt/
deodorantti

department store /di'pa:tmənt stɔ:/
tavaratalo

department /di'pa:tmənt/ osasto

departure /di'pa:tʃə/
lähtö

deposit /di'pozit/
talletus; takuumaksu

depressed /di'prest/
masentunut

desert /'dezət/
autiomaa

design /di'zain/
muotoilu

dessert /di'zɜ:t/
jälkiruoka

destroy /di'strɔi/ tuhota

determine /di'tɜ:min/
määrätä

detour /'di:tuə/ kiertotie

develop /di'veləp/
kehittää

diabetes /daiə'bi:tiz/
sokeritauti

diamond /'daiəmənd/
timantti

diarrhoea /daiə'riə/
ripuli

dice /dais/ nopat

dictionary /'dikʃənri/
sanakirja

diet /'daiət/ ruokavalio

different /'difrənt/
erilainen

difficult /'difikəlt/
vaikea

dig /dig/ kaivaa

digestion /di'dʒestʃən/
ruoansulatus

dining car /'dainiŋ ka:/
ravintolavaunu

dining-room /'dainiŋ ru:m/ ruokasali

dinner /'dinə/
päivällinen

dinner jacket /'dinə dʒækit/ smokki

dipped headlights /dipt 'hedlaits/
lähivalot

direct /di'rekt/ suoraan

direction /di'rekʃn/
suunta

direction indicator /di'rekʃn 'indikeitə/
vilkku

dirty /'dɜːti/ likainen

disabled person /dis'eibld 'pɜːsən/ invalidi

disappear /disə'piə/ kadota

disappoint /disə'pɔint/ pettää

discotheque /'diskətek/ diskoteekki

discount /'diskaunt/ alennus

discuss /di'skʌs/ keskustella

disease /di'ziz/ sairaus

dish /diʃ/ ruokalaji

dish of the day /diʃ əv ðə dei/ päivän erikoinen

disinfect /disin'fekt/ desinfioida

disorder /dis'ɔːdə/ epäjärjestys

distance /'distəns/ etäisyys

distilled water /di'stild 'wɔːtə/ tislattu vesi

distributor /distri'bjuːtə/ virranjakaja

district /'distrikt/ alue

disturb /di'stɜːb/ häiritä

divide /di'vaid/ jakaa

diving /'daiviŋ/ sukellus

divorce /di'vɔːs/ avioero

dizzy /'dizi/ huimata

do /duː/ tehdä

doctor /'doktə/ lääkäri

dog /dog/ koira

doll /dol/ nukke

dollar /'dolə/ dollari

domestic /də'mestik/ kotimainen

door /dɔː/ ovi

dormitory accomodation /'dɔːmitri əkomə'deiʃn/ yhteismajoitus

dose /dəus/ annos (lääkea.)

double /'dʌbl/ kaksinkertainen

double bed /'dʌbl bed/ kaksoisvuode

double cream /'dʌbl kriːm/ kuohukerma

double room /'dʌbl ruːm/ kahden hengen huone

doubt /daut/ epäillä

down /daun/ alas

down-hill skiing /daun hill skiːiŋ/ laskettelu

dozen /'dʌzn/ tusina

drain /drein/ viemäri

drama /'draːmə/ draama

draper's /'dreipəːz/ kangaskauppa

drawer /drɔː/ vetolaatikko

drawing /'drɔːiŋ/ piirustus

drawing paper /'drɔːiŋ 'peipə/ piirustuspaperi

dream /driːm/ uni

dress /dres/ leninki; pukeutua

dressing gown /'dresiŋ
 gaun/ aamutakki
dressmaker
 /'dresmeikə/ ompelija
drink /driŋk/ juoda
drinking water /driŋkiŋ
 'wɔ:tə/ juomavesi
drive /draiv/ ajaa
 (autoa); ajelu
driver /'draivə/ ajaja
driving licence
 /'draiviŋ 'laisns/
 ajokortti

drown /draun/ hukkua
drug /drʌg/ rohdos
drunk /drʌŋk/
 humaltunut
dry /drai/ kuiva
dry cleaning /drai
 kli:niŋ/ kemiallinen
 pesula
duck /dʌk/ ankka
during /'djuəriŋ/ aikana
dust /dʌst/ pöly
duty /'dju:ti/
 velvollisuus; tullimaksu

E

each /i:tʃ/ kukin
eager /i:gə/ innokas
ear /iə/ korva
ear specialist /iə
 'speʃəlist/ korvalääkäri
earache /iə(r)eik/
 korvasärky
earclips /iəklips/
 korvakorut
early /'ɜ:li/ aikaisin
early morning coffee
 /'ɜ:li 'mɔ:niŋ 'kofi/
 aamukahvi
earn /ɜ:n/ ansaita
ear-piece /iə pi:s/
 kuuloke
earring /'iəriŋ/
 korvarengas
east /i:st/ itä
Easter /'i:stə/
 pääsiäinen
easy /'i:zi/ helppo

easy-chair /'i:zitʃeə/
 nojatuoli
eat /i:t/ syödä
EC /i:si:/ EY, Euroopan
 yhteisö
economy class
 /i'konəmi kla:s/
 turistiluokka
edge /edʒ/ reuna
education /edʒu'keiʃn/
 koulutus
eel /i:l/ ankerias
effective /i'fektiv/
 tehokas
egg /eg/ kananmuna
egg yolk /eg jəuk/
 munankeltuainen
eiderdown /'əidədaun/
 untuvapeite
either ... or /'aiðə ...
 ɔ:/ joko ... tai

elbow /'elbəu/
kyynärpää
election /i'lekʃn/ vaali
electric /i'lektrik/
sähköinen
electric lamp /i'lektrik
læmp/ sähkölamppu
electric shaver
/i'lektrik 'ʃeivə/
sähköparranajokone
electric system
/i'lektrik 'sistəm/
sähköjärjestelmä
electric train /i'lektrik
trein/ sähköjuna
electricity /ilek'trisəti/
sähkö
embarrassed
/im'bærəst/ nolo
embassy /'embəsi/
(suur)lähetystö
embroidery
/im'brɔidəri/ kirjonta
emergency
/i'mɜ:dʒənsi/
hätätapaus
emergency telephone
/i'mɜdʒənsi 'telifəun/
hätäpuhelin
employee /emplɔi'i:/
virkailija
empty /'empti/ tyhjä
enamel /i'næml/ emali
enclose /in'kləuz/
oheistaa
end /end/ loppu
endive /'endiv/ endiivi
enemy /'enəmi/
vihollinen

engage /in'geidʒ/
palkata
engagement ring
/in'geidʒmənt riŋ/
kihlasormus
engine /'endʒin/ kone
enjoy /in'dʒɔi/ nauttia
enlarge /in'la:dʒ/
suurentaa
enormous /i'nɔ:məs/
suunnaton
enough /i'nʌf/ tarpeeksi
entertainment
/entə'teinmənt/
ajanviete
entrance /'entrəns/
sisäänkäynti
envelope /'envələup/
kirjekuori
envy /'envi/ kadehtia
epidemic /epi'demik/
epidemia
equal /'i:kwəl/
yhtäläinen
equipment /i'kwipmənt/
varusteet
errand /'erənd/ tehtävä
error /'erə/ virhe
escape /i'skeip/ välttyä,
paeta
especially /i'speʃəli/
erittäin, erikoisesti
European Community,
EC /juərə'piən
kə'mju:nəti (i:si:)/
Euroopan yhteisö, EY
eve /i:v/ aatto
even /'i:vn/ vieläpä
evening /'i:vniŋ/ ilta

evening dress /'i:vniŋ dres/ iltapuku

evening service /'i:vniŋ 'sɜ:vis/ iltajumalanpalvelus

event /i'vent/ tapahtuma

ever /'evə/ koskaan

every /'evri/ jokainen

everybody /'evribodi/ joka ainoa

everywhere /'evriweə/ kaikkialla

examination /igzæmi'neiʃn/ tutkimus (lääkärissä)

examine /ig'zæmin/ tutkia

example /ig'zampl/ esimerkki

excellent /'eksələnt/ erinomainen

except /ik'sept/ paitsi

exchange /ik'stʃeindʒ/ vaihtaa

exchange rate /ik'stʃeindʒ reit/ pörssikurssi, valuuttakurssi, vaihtokurssi

excluding /ik'sklu:diŋ/ lukuun ottamatta

exclusive /ik'sklu:siv/ hieno

excursion /ik'skɜ:ʃn/ retki

excuse /ik'skju:s/ anteeksipyyntö; pyytää anteeksi

exercise /'eksəsaiz/ harjoitus

exhaust pipe /ig'zɔ:st paip/ pakoputki

exhibition /eksi'biʃn/ näyttely

exit /'eksit/ uloskäynti; ulosajo (liikenteessä)

expect /ik'spekt/ odottaa

expense /ik'spens/ kustannus, kulut

expensive /ik'spensiv/ kallis

experience /ik'spiəriəns/ kokemus, elämys

expert /'ekspɜ:t/ asiantuntija

expire /ik'spaiə/ loppua

explain /ik'splein/ selvittää

explanation /eksplə'neiʃn/ selvitys

export service /'ekspɔ:t 'sɜ:vis/ vientipalvelu

expose /ik'spəuz/ valottaa (valokuvauksessa)

exposure metre /ik'spəuʒə 'mi:tə/ valotusmittari

express letter /ik'spres 'letə/ pikakirje

express train /ik'spres trein/ pikajuna

expression /ik'spreʃn/ ilmaisu

extra /'ekstrə/
ylimääräinen
extra bed /'ekstrə bed/
lisävuode
eye /ai/ silmä
eye shadow /ai 'ʃædəu/
luomiväri

eyebrow pencil
/'aibrau 'pensl/
kulmakynä
eyeglasses /'aigla:siz/
silmälasit
eyewitness /'aiwitnis/
silminnäkijä

F

face /feis/ kasvot
face lotion /feis 'ləuʃn/
kasvovesi
face treatment /feis
'tri:tmənt/
kasvojenhoito
fact /fækt/ tosiasia
factory /'fæktəri/ tehdas
faint /feint/ pyörtyä
fair /feə/
oikeudenmukainen
fall /fɔ:l/ pudota
fall in love /fɔ:l in lʌv/
rakastua
falls /fɔ:ls/ putous
family accomodation
/'fæməli əkomə'deiʃn/
perhemajoitus
family /'fæməli/ perhe
family name /'fæməli
neim/ sukunimi
famous /'feiməs/
kuuluisa
fan /fæn/ tuuletin
far away /fa:r ə'wei/
kaukana
farm /fa:m/ maatila,
maatalo, maalaistalo

fashion /'fæʃn/ muoti
fast /fa:st/ kiinteä
faster /'fa:stə/
nopeammin
fat /fæt/ lihava; rasva
father /'fa:ðə/ isä
fault /fɔ:lt/ vika
fear /fiə/ pelko
February /'februəri/
helmikuu
feel /fi:l/ tuntea
feel dizzy /fi:l 'dizi/
pyörryttää
feel faint /fi:l feint/
heikottaa
feel sick /fi:l sik/
oksettaa
feeling /'fi:liŋ/ tunne
felt pen /felt pen/
tussikynä
ferry /'feri/ lautta
festival /'festivl/
juhlapäivä
few /fju:/ harvat
fever /'fi:və/ kuume
fiancé(e) /fi'onsei/
kihlattu
field /fi:ld/ kenttä; pelto

fight /fait/ tapella,
taistella; taistelu
figure /'figə/ luku
fill /fil/ täyttää
fill a tooth /fil ə tu:θ/
paikata hammas
fill the tank, please /fil
ðə tæŋk pli:z/ tankki
täyteen
fillet /'filit/ filee
filling /filiŋ/ paikka
(hampaassa)
film /film/ elokuva,
filmi
filter /'filtə/ suodatin
find /faind/ löytää
fine /fain/ hieno; sakko
finger /'fiŋgə/ sormi
finish /'finiʃ/ lopettaa,
täydentää
finished /'finiʃt/
lopussa; valmis
fire /'faiə/ tuli, tulipalo
fire-brigade /'faiə
bri'geid/ palokunta
fire-place /'faiə pleis/
takka
firm /fɜ:m/ luja; yhtiö
first /fɜ:st/ ensimmäinen
first-aid /fɜ:st eid/
ensiapu
first class /fɜ:st kla:s/
ensimmäinen luokka
(esim. junassa)
first name /fɜ:st neim/
etunimi
fish /fiʃ/ kala; kalastaa
fishing permit /fiʃiŋ
'pɜ:mit/ kalastuslupa

fishing trip /fiʃiŋ trip/
kalastusretki
fishmonger's
/fiʃmʌŋgəs/ kalakauppa
fit /fit/ sovittaa
(vaatetta)
fix /fiks/ sopia
(tapaamisesta)
flag /flæg/ lippu
(valtion)
flannel /'flænl/ flanelli
flash light /flæʃ lait/
salamavalo
flat /flæt/ huoneisto,
asunto; tasainen
fleet /fli:t/ laivasto
flight /flait/ lento
float /fləut/ kellua
floor /flɔ:/ kerros; lattia
floppy disk /flopi disk/
levyke, disketti
florist's /'florists/
kukkakauppa
flow /fləu/ virta (vesi)
flower /'flauə/ kukka
flu /flu:/ flunssa
fly /flai/ lentää;
kärpänen
fog /fog/ sumu
follow /'fоləu/ seurata
food /fu:d/ ruoka
food poisoning /fu:d
'poizniŋ/
ruokamyrkytys
fool /fu:l/ typerys
foot /fut/ jalka
football /'futbɔ:l/
jalkapallo
for /fɔ:/ varten

forbidden /fə'bidn/
kielletty

force /fɔ:s/ voima;
pakottaa

forehead /'forid/ otsa

foreign /'forən/
ulkomainen

foreigner /'forənə/
ulkomaalainen

forest /'forist/ metsä

forget /fə'get/ unohtaa

forgive /fə'giv/ antaa
anteeksi

fork /fɔ:k/ haarukka

form /fɔ:m/ lomake

for sale /fə seil/
myytävänä

fortress /'fɔ:tris/
linnoitus

forward /'fɔ:wəd/
eteenpäin

fountain /'fauntin/
suihkulähde

fountain pen /'fauntin
pen/ täytekynä

fracture /'fræktʃə/
luunmurtuma

fragile /'frædʒail/
särkyvä

frame /freim/ kehys

franc /fræŋk/ frangi

frankfurter /'fræŋkfɜ:tə/
nakki

free /fri:/ ilmainen;
vapaa

freedom /'fri:dəm/
vapaus

freezer /'fri:zə/ pakastin

freight /freit/ rahti

French fries /frentʃ
fraiz/ ranskalaiset
perunat

fresh /freʃ/ tuore, raitis
(ilma)

Friday /'fraidi/ perjantai

fried egg /fraid eg/
paistettu kananmuna

friend /frend/ ystävä

friendly /'frendli/
ystävällinen

fringe /frindʒ/ otsatukka

front /frʌnt/ etupuoli

frost /frost/ pakkanen

frozen /'frəuzən/
paleltunut

frozen /'frəuzən/
jäätynyt

fruit /fru:t/ hedelmä

fry /frai/ paistaa
(ruokaa)

fryingpan /'fraiiŋ pæn/
paistinpannu

full /ful/ täynnä

full board /ful bɔ:d/
täysihoito

full insurance /ful
in'ʃuərəns/
täysvakuutus

fun /fʌn/ huvi

funeral /'fju:nərəl/
hautajaiset

funny /'fʌni/ hauska

furcoat /'fɜ:kəut/ turkki

furnished /'fɜ:niʃt/
kalustettu

furniture /'fɜ:nitʃə/
huonekalut

further /'fɜ:ðə/ edelleen

future /'fju:tʃə/
tulevaisuus

G

gale /geil/ myrsky
game /geim/ peli; riista
garage /'gæra:ʒ/
autotalli; autokorjaamo
garbage /'ga:bidʒ/
jätteet
garden /ga:dn/
puutarha
garlic /'ga:lik/
valkosipuli
gate /geit/ portti
gauze /gɔ:z/ sideharso
gear /giə/ vaihde
(auton)
gear box /giə boks/
vaihdelaatikko
gear lever /giə 'li:və/
vaihdetanko
gentlemen /'dʒentlmən/
miestenhuone
genuine /'dʒenjuin/ aito
German measles
/'dʒɜ:mən 'mi:zlz/
vihurirokko
German silver
/'dʒɜ:mən 'silvə/
uushopea
get /get/ saada
get off /get of/ poistua
get on /get on/ nousta
(bussiin)

get sprained /get
spreind/ mennä
sijoiltaan
get stuck /get stʌk/
juuttua
get up /get ʌp/ nousta
ylös
get worried /get
'wʌri:d/ huolestua
ghost /gəust/ haamu
gift package /gift
'pækidʒ/ lahjapaketti
gift /gift/ lahja
girl /gɜ:l/ tyttö
give /giv/ antaa
glad /glæd/ iloinen
gland /glænd/ rauhanen
glass /gla:s/ lasi
glove /glʌv/ käsine,
hansikas
glue /glu:/ liima
go /gəu/ mennä
go away /gəu ə'wei/
mennä pois
God /god/ Jumala
gold leaf /gəuld li:f/
lehtikulta
gold /gəuld/ kulta
golden /'gəuldən/
kultainen,
kullanvärinen
goldplated
/'gəuldpleitid/ kullattu

golf club /golf klʌb/
golfmaila

golf course /golf kɔ:s/
golfkenttä

good /gud/ hyvä

good afternoon! /gud
a:ftə'nu:n/ hyvää
päivää!

goodbye! /gud'bai/
näkemiin!

good evening! /gud
'i:vniŋ/ hyvää iltaa!

good morning! /gud
'mɔ:niŋ/ hyvää
huomenta!

good night! /gud nait/
hyvää yötä!

goods /guds/ tavarat

gorge /gɔ:dʒ/ rotko

gossip /'gosip/ juoru

government
/'gʌvənmənt/ hallitus

grandchild
/'grændtʃaild/
lapsenlapsi

grandfather
/'grændfa:ðə/ isoisä

grandmother
/'grændmʌðə/ isoäiti

grape /greip/
viinirypäle

grapefruit /'greipfru:t/
greippi

graphics /'græfiks/
grafiikka

grass /gra:s/ ruoho

grateful /'greitfl/
kiitollinen

gratis /'greitis/ ilmainen

graze /greiz/ naarmu

great /greit/ suuri

greedy /'gri:di/ ahne

green /gri:n/ vihreä

green-grocer /'gri:n
grəusə/
vihanneskauppias

greengrocer's
/'gri:ngrəusəs/
vihanneskauppa

greeting /gri:tiŋ/
tervehdys

grey /grei/ harmaa

grilled /grild/ grillattu

grocer /'grəusə/
ruokakauppa

ground /graund/
maaperä, maa

ground floor /graund
flɔ:/ pohjakerros

group /gru:p/ ryhmä

grow /grəu/ kasvaa

guard /ga:d/ vartio

guess /ges/ arvata

guest /gest/ vieras
(kutsuttu)

guest worker /gest
'wɜ:kə/ vierastyöläinen

guide /gaid/ opas

guide-book /gaid buk/
opaskirja

guilty /'gilti/ syyllinen

guitar /gi'ta:/ kitara

gun /gʌn/ ase

gynaecologist
/gaini'kolədʒist/
gynekologi

H

hair /heə/ tukka

hair care /heə keə/
hiustenhoito

hair conditioner /heə
kən'diʃnə/
hiustenhoitoaine

hair-cut /heə kʌt/
leikkaus (tukan)

haircut /'heəkʌt/
tukanleikkuu

hair-do /'heədu:/
kampaus

hairdresser's
/'heədresəz/ kampaamo

hair drier /heə 'draiə/
tukankuivaaja

hair-dye /heə dai/
värjäys (hiusten)

hair pin /heə pin/
hiusneula

hair spray /heə sprei/
hiuslakka

hair wash /heə woʃ/
hiustenpesu

half /ha:f/ puolikas,
puoli

half board /ha:f bɔ:d/
puolihoito

half full /ha:f ful/
puolillaan

hall /hɔ:l/ aula, sali

ham /hæm/ kinkku

hammer /'hæmə/ vasara

hand /hænd/ käsi

handbag /'hændbæg/
käsilaukku

handbrake /'hændbreik/
käsijarru

hand cream /hænd
kri:m/ käsivoide

handicraft work
/'hændikra:ft wɜ:k/
käsiteollisuus

handkerchief
/'hæŋkəʧif/ nenäliina

hand luggage /hænd
'lʌgidʒ/
käsimatkatavara

handmade /'hændmeid/
käsin tehty

handsome /'hænsəm/
komea

hang /hæŋ/ ripustaa

hanger /'hæŋə(r)/
henkari, vaateripustin

hangover /'hæŋəuvə/
krapula

happen /'hæpən/
tapahtua, sattua

happy /'hæpi/
onnellinen

harass /'hærəs/
ahdistella

harbour /'ha:bə/ satama

hard /ha:d/ kova

hardboiled egg
/'ha:dbbɔild eg/ kovaksi
keitetty kananmuna

harm /ha:m/ vahinko

harvest /'ha:vist/
elonkorjuu

harvesting /'ha:vistiŋ/
sadonkorjuu
hat /hæt/ hattu
hate /heit/ vihata
have /hæv/ omistaa
have a cold /hæv ə
kəuld/ vilustunut
have ... repaired /həv
ri'peəd/ korjauttaa
he m /hi:/ hän
head /hed/ pää
head-ache /'hedeik/
päänsärky
health /helθ/ terveys
health insurance /helθ
in'fuərəns/
sairausvakuutus
health resort /helθ
ri'zɔ:t/ kylpyläkaupunki
healthy /'helθi/ terve
hear /hiə/ kuulla
heart /ha:t/ sydän
heart attack /ha:t
ə'tæk/ sydänkohtaus
heat /hi:t/ kuumuus,
lämpö; helle
heating /hi:tiŋ/
lämmitys
heavy /'hevi/ raskas,
painava
heel /hi:l/ korko
(kengän); kantapää
heeltap /'hi:ltæp/
korkolappu
height /hait/ korkeus
helicopter
/'helikoptə(r)/
helikopteri
hell /hel/ helvetti

hello! /hə'ləu/ hei!
haloo!
helmet /'helmit/ kypärä
help /help/ auttaa; apua!
hemorrhoids
/'hemərɔidz/
peräpukamat
hen /hen/ kana
her f /hɔ:/ hänen
herb /hɜ:b/ yrtti
here /hiə/ täällä
herring /'heriŋ/ silli
hide /haid/ piilottaa
high /hai/ korkea
high beam /hai bi:m/
kaukovalot
highway /'haiwei/
maantie, moottoritie,
valtamaantie
hill /hil/ kukkula, mäki
hint /hint/ vihjata
hip /hip/ lantio; lonkka
hire /'haiə/ vuokrata;
palkata
his m /hiz/ hänen
history /'histri/ historia
hit /hit/ lyödä
hitch-hike /hitʃhaik/
liftata
hitch-hiking /hitʃ
'haikiŋ/ peukalokyyti
hoarse /hɔ:s/ käheä
hold /həuld/ pitää kiinni
hole /həul/ reikä
holiday /'holədei/
pyhäpäivä; lomapäivä,
vapaapäivä
holidays /'holədeiz/
loma

hollow /'holəu/ ontto
holy /'həuli/ pyhä
home /həum/ koti
home address /həum
ə'dres/ kotiosoite
homesickness
/'həumsiknis/
koti-ikävä
honest /'onist/
rehellinen
honey /'hʌni/ hunaja
honeymoon
/'hʌnimu:n/
kuherruskuukausi
honour /'onə/ kunnia
hope /həup/ toivoa
horizontal /hori'zontl/
vaakasuora
horse /hɔ:s/ hevonen
hospital /'hospitl/
sairaala
host /həust/ isäntä
hostess /'həustis/
emäntä
hot /hot/ kuuma
hot-dog stand /hot dog
stænd/ nakkikioski

hotel /həu'tel/ hotelli
hot-sausage stall /hot
'sosidʒ stɔ:l/
makkarakioski
hot water /hot wɔ:tə/
lämmin vesi
hot-water bottle /hot
'wɔ:tə 'botl/
kuumavesipullo
hour /'auə/ tunti
house /haus/ talo
how /hau/ kuinka
how much /hau mʌtʃ/
kuinka paljon
humour /'hju:mə/
huumori
hunt /hʌnt/ metsästää
hunter /'hʌntə/
metsästäjä
hurry /'hʌri/ kiiruhtaa,
kiire
hurt /hɜ:t/ satuttaa
husband /'hʌzbənd/
aviomies
hydrofoil boat
/'haidrəfɔil bəut/
kantosiipialus

I

I /ai/ minä
ice /ais/ jää
ice-cream /ais'skri:m/
jäätelö
ice water /ais 'wɔ:tə/
jäävesi
idea /ai'diə/ idea
if /if/ jos

ignition /ig'niʃn/ sytytys
ill /il/ sairas
illegal /i'li:gl/ laiton
illness /'ilnis/ sairaus
imagine /i'mædʒin/
kuvitella
imitation /imi'teiʃn/
jäljitelmä

immediately
/i'mi:diətli/ heti

impatient /im'peiʃnt/
kärsimätön

impolite /impə'lait/
epäkohtelias

important /im'pɔ:tnt/
tärkeä

impossible /im'posəbl/
mahdoton

in /in/ sisään; sisäänajo
(liikenteessä)

in a bad shape /in ə
bæd ʃeip/
huonokuntoinen (esim.
tie)

in cash /in kæʃ/
käteisellä

in front of /in frʌnt əv/
edessä

in order /in 'ɔ:də/
kunnossa (esim. jokin
laite)

in the middle of /in ðə
midl əv/ keskellä

including /in'klu:diŋ/
mukaan lukien

independence day
/indi'pendəns dei/
itsenäisyyspäivä

independent
/indi'pendənt/
itsenäinen

indigestion
/indi'dʒestʃn/
ruoansulatushäiriö

industry /'indəstri/
teollisuus

infected /in'fektid/
tulehtunut

infection /in'fekʃn/
tartunta

inflammable
/in'flæməbl/ tulenarka

inflammation
/inflə'meiʃn/ tulehdus

influence /'influəns/
vaikutus

influenza /influ'enzə/
influenssa

information /infə'meiʃn/
informaatio, neuvonta

inhabitant /in'hæbitənt/
asukas

inherit /in'herit/ periä

injection /in'dʒekʃn/
pistos (ruiske)

injured /'indʒəd/
loukkaantunut
(onnettomuudessa)

injury /'indʒəri/ vamma

inn /in/ majatalo

innocent /'inəsnt/
syytön

insane /in'sein/
mielisairas

insect bite /'insekt bait/
hyönteisenpisto

insect /'insekt/
hyönteinen

inside /in'said/ sisällä

instrument
/'instrumənt/ soitin

insurance /in'ʃuərəns/
vakuutus

intelligent /in'telidʒənt/
älykäs

intention /in'tenʃn/
aikomus
interest /'intrəst/ korko
(pankki); kiinnostus
interesting /'intrəstiŋ/
kiinnostava
international
/intə'næʃnəl/
kansainvälinen
interpreter /in'tɜ:pritə/
tulkki
interrupt /intə'rʌpt/
keskeyttää
intestines /in'testins/
suolisto
introduce /intrə'dju:s/
esitellä

invalid /'invəlid/
invalidi; pätemätön
invitation /invi'teiʃn/
kutsu
iron /'aiən/ silitysrauta;
rauta
ironmonger's
/'aiənmʌngəz/
rautakauppa
irritate /'iriteit/ ärsyttää
irritated /'iriteitid/
ärtynyt
island /'ailənd/ saari
it /it/ se
itch /itʃ/ kutista
its /its/ sen

J

jacket /'dʒækit/ takki
jam /dʒæm/ hillo
January /'dʒænjuəri/
tammikuu
jaw /dʒɔ:/ (leuka)luu
jealous /'dʒeləs/
mustasukkainen
jeans /dʒi:nz/ farmarit
jelly /'dʒeli/ hyytelö
jewel /'dʒu:əl/ jalokivi
jeweller /'dʒu:ələ/
jalokivikauppias
jigsaw puzzle /'dʒigsɔ:
'pʌzl/ palapeli

joint /dʒɔint/ nivel
joke /dʒəuk/ vitsi
journey /'dʒɜ:ni/ matka
joy /dʒɔi/ ilo
juice /dʒu:s/
(tuore)mehu
July /dʒu:'lai/ heinäkuu
jump /dʒʌmp/ hypätä
June /dʒu:n/ kesäkuu
just a moment! /dʒʌst ə
'məumənt/ hetkinen!

K

kennel /'kenl/
koirahoitola, kennel
kettle /'ketl/ kattila
key /ki:/ avain
kidney /'kidni/
munuainen
kill /kil/ tappaa
kilometre /'kiləmi:tə/
(ajo)kilometri
kind /kaind/ laji;
ystävällinen

kiss /kis/ suudelma
kitchen /'kitʃin/ keittiö
knee /ni:/ polvi
knife /naif/ veitsi
knob /nob/ nuppi
knock /nok/ koputtaa
know /nəu/ tuntea,
tietää

L

lace /leis/ pitsi
lack /læk/ puuttua
ladder /'lædə/ tikapuut
ladies /'leidi:z/
naistenhuone
ladies' department
/'leidi:z di'pa:tmənt/
naistenosasto
(tavaratalossa)
ladies' hairdresser
/'leidi:z 'heədresə/
kampaaja
lake /leik/ järvi
lamb /læm/ lammas
lamp /læmp/ lamppu
land /lænd/ laskeutua;
maa
landlady /'lændleidi/
vuokraemäntä
landlord /'lændlɔ:d/
vuokraisäntä

landscape /'lændskeip/
maisema
language /'læŋgwidʒ/
kieli
large /la:dʒ/ suuri
last /la:st/ kestää;
viimeinen; viime
late show /leit ʃəu/
myöhäisnäytäntö
late /leit/ myöhään,
myöhässä
late-night show /leit
nait ʃəu/ yönäytäntö
later /'leitə/
myöhemmin
laugh /la:f/ nauraa
laughter /'la:ftə/ nauru
laundry /'lɔ:ndri/ pesula
law /lɔ:/ laki
lavatory /'lævətri/
pesuhuone; wc

lawn /lɔ:n/ nurmikko
lawyer /'lɔ:jə/ asianajaja
laxative /'læksətiv/ ulostusaine
lay /lei/ asettaa, panna
lazy /'leizi/ laiska
lead /li:d/ johtaa
leader /'li:də/ johtaja
leading role /li:diŋ rəul/ pääosa
leaking /'li:kiŋ/ vuotava
lean /li:n/ laiha (liha)
learn /lɜ:n/ oppia
leather /'leðə/ nahka
leave /li:v/ lähteä, jättää, hylätä
lecture /'lektʃə/ luento, esitelmä
left /left/ vasen
left luggage office /left 'lʌgidʒ 'ɔfis/ matkatavaratoimisto
leg /leg/ sääri
legal /'li:gl/ laillinen
lemon /'lemən/ sitruuna
lemonade /lemə'neid/ limonadi
lemon drink /'lemən driŋk/ sitruunajuoma
lend /lend/ antaa lainaksi, lainata jollekulle
length /leŋθ/ pituus
lens /lenz/ linssi
less /les/ vähemmän
let /let/ sallia
letter /'letə/ kirje, kirjain

letter-box /'letə boks/ kirjelaatikko, postilaatikko
lettuce /'letis/ lehtisalaatti
level /'levl/ taso
library /'laibrəri/ kirjasto
licorice /'likəris/ lakritsa
lid /lid/ kansi
lie /lai/ maata; valhe; valehdella
life /laif/ elämä
lifeguard /'laifga:d/ hengenpelastaja
life jacket /laif 'dʒækit/ pelastusliivit
life preserver /laif pri'zɜ:və/ pelastusrengas
lift /lift/ nostaa; hissi
lift boy /lift bɔi/ hissipoika
light /lait/ kevyt; vaalea; valo; valoisa
lightning /'laitniŋ/ salama
like /laik/ pitää jstk
lilac /'lailək/ liila
limit /'limit/ raja
line /lain/ viiva
linen /'linin/ pellava; liinavaatteet
lip /lip/ huuli
lip-salve /lip sælv/ huulirasva
lipstick /'lipstik/ huulipuna
liquid /'likwid/ neste

lira /'liərə/ liira
listen /'lisn/ kuunnella
litre /'li:tə/ litra
little /litl/ pieni
live /liv/ elää; asua
lively /'laivli/ eloisa
liver /'livə/ maksa
liver paste /'livə peist/ maksapasteija
living-room /'liviŋ ru:m/ olohuone
loaf /ləuf/ leipä
loan /ləun/ laina
lobby /'lobi/ lämpiö, eteinen
lobster /'lobstə/ hummeri
local /'ləukl/ paikallinen
local anaesthetic /ləukl ænis'θetik/ paikallispuudutus
local call /'ləukl kɔ:l/ paikallispuhelu
local inhabitant /ləukl in'hæbitənt/ paikkakuntalainen
local road /ləukl rəud/ paikallistie
lock /lok/ lukita
long /loŋ/ pitkä
long-distance call /loŋ 'distəns kɔ:l/ kaukopuhelu
long-distance train /loŋ 'distəns trein/ kaukojuna
long for /loŋ fɔ:/ kaivata
look at /luk æt/ katsoa
look for /luk fɔ:/ etsiä

look out! /luk aut/ varokaa!
loose /lu:s/ löysä
lorry /'lori/ kuorma-auto
lose /lu:z/ menettää, kadottaa
lose one's way /lu:z wʌnz wei/ eksyä
lost property office /lost 'propəti 'ofis/ löytötavaratoimisto
lost property /lost 'propəti/ löytötavarat
loud /laud/ äänekäs
loudspeaker /laud'spi:kə/ kaiutin
loudspeakers /'laudspi:kə:s/ kovaääniset
lounge /laundʒ/ oleskelutila
low /ləu/ matala
love /lʌv/ rakkaus; rakastaa
lower berth /ləuə bɜ:θ/ alavuode
lubrication /lu:bri'keiʃn/ voitelu (esim. koneen)
lucky /'lʌki/ onnekas
luggage /'lʌgidʒ/ matkatavarat
luggage van /'lʌgidʒ væn/ matkatavaravaunu
lunch /lʌntʃ/ lounas
lung /lʌŋ/ keuhko
luxury /'lʌkʃəri/ ylellisyys

M

machine /mə'ʃi:n/ kone

magazine /mægə'zi:n/ aikakauslehti

magnetic tape /'mægnitik teip/ kasetti

magnificient /mæg'nifisnt/ suurenmoinen

maid /meid/ kerrospalvelija; palvelustyttö

mail /meil/ posti

main /mein/ pää-

main post office /mein pəust 'ofis/ pääposti

main railway station /mein 'reilwei 'steiʃn/ päärautatieasema

main road /mein rəud/ kantatie; pääkatie

make /meik/ valmistaa, tehdä

make smaller /meik smɔ:lə/ pienentää

make-up /meik ʌp/ meikki

man /mæn/ mies

manager /'mænidʒə/ johtaja

manicure /'mænikjuə/ käsienhoito

manners /'mænəz/ tavat

many /'meni/ moni, monet, monta

map /mæp/ kartta

March /ma:tʃ/ maaliskuu

mark /ma:k/ markka

marker for projector /ma:kə fə prə'dʒektə/ kalvokynä

market /'ma:kit/ markkinat

marmalade /'ma:məleid/ marmelaati

marriage /'mæridʒ/ avioliitto

married /'mæri:d/ naimisissa

marry /'mæri/ vihkiä (avioliittoon)

marsh /ma:ʃ/ suo

mascot /'mæskət/ maskotti

mass /mæs/ messu

massage /'mæsa:ʒ/ hieronta

match /mætʃ/ tulitikku

material /mə'tiəriəl/ materiaali

matter /'mætə/ asia

mattress /'mætris/ patja

May /mei/ toukokuu

meadow /'medəu/ niitty

meal /mi:l/ ateria

mean /mi:n/ merkitä

meaning /mi:niŋ/ merkitys

mean(s) /mi:n(s)/ varat

measles /'mi:zlz/
tuhkarokko

measure /'meʒə/ mitta

meat /mi:t/ liha

meat pie /mi:t pai/
lihapiirakka

mechanic /mi'kænik/
mekaanikko

medicine /'medsn/
lääke

medium /'mi:diəm/
keski-

medium-strength beer
/'mi:diəm streŋθ biə/
keskiolut

meet /mi:t/ tavata

meeting /'mi:tiŋ/ kokous

melt /melt/ sulaa

member /'membə/ jäsen

memorial /mi'mɔ:riəl/
muistomerkki

memory /'meməri/
muisti

mend /mend/ parsia,
paikata

men's department
/mens di'pa:tmənt/
miestenosasto
(tavaratalossa)

menstruation
/menstru'eiʃn/
kuukautiset

mention /'menʃn/
mainita

menu /'menju:/
ruokalista

message /'mesidʒ/
ilmoitus, viesti

metal /'metl/ metalli

middle /'midl/
keskikohta

Middle Ages /'midl
eidʒiz/ keskiaika

middle berth /midl
bɜ:θ/ keskivuode

midnight /'midnait/
keskiyö

midsummer /mid'sʌmə/
juhannus

mild /maild/ lempeä

milk /milk/ maito

mill /mil/ mylly

milliner's /'milinəs/
hattukauppa

mind /maind/ mieli

mine /main/ kaivos

mineral water /'minərəl
'wɔ:tə/ kivennäisvesi

minibus /'minibʌs/
pikkubussi

minister /'ministə/
ministeri

minute /'minit/
minuutti

miracle /'mirəkl/ ihme

mirror /'mirə/ peili

miscarriage
/mis'kæridʒ/
keskenmeno

miss /miss/ kaivata

miss (the train) /miss ðə
trein/ myöhästyä
(junasta)

Miss /miss/ neiti

mistake /mi'steik/
erehdys

mister /'mistə/ herra

misunderstand
/misʌndə'stænd/
ymmärtää väärin

misunderstanding
/misʌndə'stændiŋ/
väärinymmärrys

mix /miks/ sekoittaa

mixer /'miksə/
sähkövatkain

mixture /'mikstʃə/
sekoitus

modest /'modist/
vaatimaton

moment /'məumənt/
hetki

monastery /'monəstri/
luostari

Monday /'mʌndi/
maanantai

money /'mʌni/ raha

money exchange
/'mʌni ik'stʃeindʒ/
rahanvaihto

month /mʌnθ/ kuukausi

mood /mu:d/ mieliala

moon /mu:n/ kuu

moonlight /'mu:nlait/
kuutamo

moorland /'muələnd/
nummi

moped /'məupəd/
mopedi

more slowly /mɔ:
sləuli/ hitaammin

more /mɔ:/ enemmän

morning /'mɔ:niŋ/ aamu

mosque /mosk/
moskeija

mosquito /mə'ski:təu/
sääski

most /məust/ eniten

motel /məu'tel/ motelli

mother /'mʌðə/ äiti

mother-of-pearl
/'mʌðə(r) əv pɜ:l/
helmiäinen

motor /'məutə/ moottori

motorcycle
/'məutəsaikl/
moottoripyörä

motorway /'məutəwei/
moottoritie

mouldy /'məuldi/
homeinen

mountain /'mauntin/
vuori

mouse /maus/ hiiri

moustache /mə'sta:ʃ/
viikset

mouth /mauθ/ suu

move /mu:v/ liikuttaa;
liikkua

movie /'mu:vi/ elokuva

movie camera /'mu:vi
'kæmərə/
elokuvakamera

Mr /'mistə/ herra

Mrs /'misiz/ rouva

much /mʌtʃ/ paljon

mud /mʌd/ muta

murder /'mɜ:də/ murha

muscle /'mʌsl/ lihas

museum /mju:'ziəm/
museo

mushroom /'mʌʃrum/
(herkku)sieni

music /'mju:zik/
musiikki, soitto
musical /'mju:zikl/
musikaali
mussel /'mʌsl/
simpukka
must /mʌst/ pitää,
täytyä

mustard /'mʌstəd/
sinappi
mutual /'mju:tʃuəl/
yhteinen
my /mai/ minun

N

nail /neil/ naula; kynsi
nailbrush /'neilbrʌʃ/
kynsiharja
nailfile /'neilfail/
kynsiviila
nail polish /neil 'poliʃ/
kynsilakka
nail scissors /neil
'sizəz/ kynsisakset
nail varnish remover
/neil 'va:niʃ ri'mu:və/
kynsilakanpoistoaine
naked /'neikid/ alaston
name /neim/ nimi
name day /neim dei/
nimipäivä
napkin /'næpkin/
lautasliina
narcotics /na:'kotiks/
huumeet
narrow /'nærəu/ ahdas,
kapea
nation /'neiʃn/
kansakunta
national day /'næʃnəl
dei/ kansallispäivä

national opera /'næʃnəl
'oprə/ kansallisooppera
national theatre
/næʃnəl 'θiətə/
kansallisteatteri
nationality /næʃə'næləti/
kansallisuus
natural /'nætʃrəl/
luonnollinen
nature /'neitʃə/ luonto
naughty /'nɔ:ti/ tuhma
nausea /'nɔ:siə/
pahoinvointi
near /niə/ lähellä
nearest /'niərist/ lähin
necessary /'nesəsəri/
tarpeellinen
neck /nek/ kaula; niska
necklace /'neklis/
kaulakoru
need /ni:d/ tarvita
needle /'ni:dl/ neula
negative /'negətiv/
negatiivi
neighbour /'neibə/
naapuri

neither ... nor /'naiðə ... nɔ:/ ei ... eikä

nephew /'nevju:/ veljenpoika, sisarenpoika

nerve /nɜ:v/ hermo

nervous /'nɜ:vəs/ hermostunut

neutral /'nju:trəl/ neutraali

never /'nevə/ ei koskaan

new /nju:/ uusi

New Year /nju: jɜ:/ uusi vuosi

news /nju:z/ uutiset

news agent /nju:z 'eidʒənt/ lehtikioski

newspaper /'nju:speipə/ sanomalehti

next /nekst/ ensi; seuraava

next to /nekst tə/ sivulla (vieressä)

nice /nais/ herttainen, soma, sievä

niece /ni:s/ veljentytär, sisarentytär

night /nait/ ilta; yö

night bell /nait bel/ yökello

night club /nait klʌb/ yökerho

night porter /nait 'pɔ:tə/ yöportieeri

nightgown /'naitgaun/ yöpaita

nightmare /'naitmeə/ painajaisuni

no /nəu/ ei

no overtaking /nəu 'əuvəteikiŋ/ ohitus kielletty

no parking /nəu 'pa:kiŋ/ pysäköinti kielletty

no pedestrians /nəu pi'destriəns/ jalankulku kielletty

no waiting /nəu 'weitiŋ/ pysäytyskielto

nobody /'nəubədi/ ei kukaan

noise /nɔiz/ meteli, melu

noisy /'nɔizi/ meluisa

none /nʌn/ ei yhtään

non-iron /non 'aiən/ itsestäänsiliävä

nonsense /'nonsns/ hölynpöly

non-smoking compartment /non'sməukiŋ kəm'pa:tmənt/ tupakoimattomien osasto

noodles /'nu:dls/ makaroni

noon /nu:n/ keskipäivä

normal /'nɔ:ml/ normaali

north /nɔ:θ/ pohjoinen

nose /nəuz/ nenä

not /not/ ei

note /nəut/ seteli

notebook /'nəutbuk/ muistikirja

nothing /'nʌθiŋ/ ei
mitään
notice /'nəutis/
huomata
November /nəu'vembə/
marraskuu
now /nau/ nyt

number /'nʌmbə/
numero; lukumäärä
nurse /nɜːs/
sairaanhoitaja
nut /nʌt/ pähkinä
nylon /'nailon/ nailon

O

obey /ə'bei/ totella
objection /əb'dʒekʃn/
vastaväite
occupied /'okjupaid/
varattu
October /ok'təubə/
lokakuu
of course /əv kɔːs/
tietenkin, tietysti
offals /ofls/ sisäelimet
offence /ə'fens/
loukkaus
offend /ə'fend/ loukata
offer /'ofə/ tarjous
office /'ofis/ toimisto
officer /'ofisə/ upseeri
official /ə'fiʃl/
virallinen; virkamies
off-licence /of 'laisns/
alkoholiliike
often /'ofn/ usein
oil /ɔil/ öljy
ointment /'ɔintmənt/
voide
old /əuld/ vanha
old-fashioned
/əuldfæʃənd/
vanhanaikainen

olive /'oliv/ oliivi
olive oil /'oliv ɔil/
oliiviöljy
on /on/ päällä
once /wʌns/ kerran
one-way /wʌn wei/
yksisuuntainen
onion /'ʌniən/ sipuli
only /'əunli/ vain
open /'əupən/ avoin,
auki; avata
opera /'oprə/ ooppera
operate /'opəreit/
leikata (lääket.)
operator /'opereitə/
puhelunvälittäjä
opinion /ə'piniən/
mielipide
opposite /'opəzit/
vastapäätä
optician /op'tiʃn/
optikko
or /ɔː/ eli, tai
orange /'orindʒ/
oranssi; appelsiini
orange juice /'orindʒ
dʒuːs/ appelsiinimehu

orangeade /ˈorindʒˈeid/
appelsiinijuoma
orchestra /ˈɔːkistrə/
orkesteri
order /ˈɔːdə/ tilata
ordinary /ˈɔːdinri/
tavallinen
organization
/ɔːgənaiˈzeiʃn/ järjestö
other /ˈʌðə/ toinen
otherwise /ˈʌðəwaiz/
muutoin
ought /ɔːt/ pitää
our /ˈauə/ meidän
out /aut/ ulos
out of order /aut əv
ˈɔːdə/ epäkunnossa
outside /autˈsaid/
ulkona

oval /ˈəuvl/ soikea
owe /əu/ olla velkaa
oven /ˈʌvn/ uuni
over /ˈəuvə/ ohi; yllä,
ylle
overcoat /ˈəuvəkəut/
päällystakki
overhead projector
/əuvəˈhed prəˈdʒektə/
piirtoheitin
overspeed /ˈəuvəspiːd/
ylinopeus
overstrained
/ˈəuvəstreind/
ylirasittunut
own /əun/ oma
owner /ˈəunə/ omistaja
oyster /ˈɔistə/ osteri

P

package /ˈpækidʒ/
paketti
packed lunch /pækt
lʌntʃ/ (retki)eväät
page /peidʒ/ sivu
(kirjan)
pail /peil/ sanko
pain /pein/ kipu
paint /peint/ maalata
painter /ˈpeintə/ maalari
painting /ˈpeintiŋ/
maalaus
pair /peə/ pari
palace /ˈpælis/ palatsi
pale /peil/ kalpea
palm /paːm/ palmu

pan /pæn/ paistinpannu
pancake /ˈpænkeik/
pannukakku
panties /ˈpæntiz/
alushousut (naisten),
pikkuhousut
pants /pænts/
alushousut
paper /ˈpeipə/ paperi
paper back /ˈpeipə
bæk/ taskukirja
paper handkerchief
/ˈpeipə ˈhæŋkətʃif/
paperinenäliina
paralysed /ˈpærəlaist/
halvautunut

parasol /'pærəsol/
päivänvarjo
parents /'peərənts/
vanhemmat
park /pa:k/ pysäköidä;
puisto
parking allowed
/'pa:kiŋ ə'laud/
pysäköinti sallittu
parking fee /'pa:kiŋ fi:/
parkkimaksu
parking place /'pa:kiŋ
pleis/ parkkipaikka
part /pa:t/ osa
party /'pa:ti/ kutsut,
juhlat
pass /pa:s/ ohittaa, ajaa
ohi
passenger /'pæsindʒə/
matkustaja
passenger train
/'pæsindʒə trein/
henkilöjuna
passport /'pa:spɔ:t/
passi
past /pa:st/ menneisyys
pastry /'peistri/ leivos
path /pa:θ/ polku
patient /'peiʃnt/
kärsivällinen; potilas
pattern /'pætn/ malli
pause /pɔ:z/ tauko
pay /pei/ palkka;
maksaa
payment order
/'peimənt 'ɔ:də/
maksuosoitus
peace /pi:s/ rauha
peach /pi:tʃ/ persikka

pear /peə/ päärynä
pearl /pɜ:l/ helmi
peas /pi:z/ herneet
pedal /'pedl/ poljin
pedal boat /'pedl bəut/
polkuvene
pedestrian crossing
/pi'destriən krosiŋ/
suojatie
pen /pen/ (muste)kynä
pencil /'pensl/ lyijykynä
pencil sharpener /pensl
'ʃa:pənə/ kynänteroitin
pendant /'pendənt/
riipus
people /'pi:pl/ ihmiset
pepper /'pepə/ pippuri
per cent /pɜ: sent/
prosentti
perch /pɜ:tʃ/ ahven
perfect /'pɜ:fikt/
täydellinen
performance
/pə'fɔ:məns/ näytäntö
perfume /'pɜ:fju:m/
hajuvesi
perhaps /pə'hæps/ ehkä
permanent /'pɜ:mənənt/
pysyvä; permanentti
permission /pə'miʃn/
lupa
permitted /pə'mitid/
sallittu
person /'pɜ:sn/ henkilö
personal /'pɜ:sənl/
henkilökohtainen
person-to-person call
/'pɜ:sn tə 'pɜ:sn kɔ:l/
henkilöpuhelu

persuade /pə'sweid/
taivutella

peseta /pə'seitə/ peseta

petrol /'petrəl/ bensiini

petrol station /'petrəl
steiʃn/ bensiiniasema

petrol tank /'petrəl
tænk/ bensatankki

petticoat /'petikəut/
alushame

pheasant /'feznt/
fasaani

phone /fəun/ soittaa
puhelimella

photocopy /'fəutəukopi/
valokopio

photo(graph)
/'fəutə(gra:f)/ valokuva

photographer's
/fə'togrəfəs/
valokuvausliike

physical /'fizikl/
fyysinen

pick up /pik ʌp/ noutaa,
poimia

pickles /'piklz/ pikkelssi

pickpocket /'pikpokit/
taskuvaras

pictorial art /pik'tɔ:riəl
a:t/ maalaustaide

picture /'piktʃə/ kuva

piece /pi:s/ pala

pig /pig/ sika

pigeon /'pidʒin/ kyyhky

pill /pil/ pilleri

pillow case /'piləu keis/
tyynyliina

pimple /'pimpl/ näppylä

pineapple /'painæpl/
ananas

pink /piŋk/ roosa,
vaaleanpunainen

pipe /paip/ putki,
piippu

piston /'pistən/ mäntä

pity /'piti/ sääli

place /pleis/ paikka

plaice /pleis/
punakampela

plan /plæn/ suunnitelma

planetarium
/plæni'teəriəm/
planetaario

plaster /'pla:stə/ kipsi
(lääket.)

plastic /'plæstik/ muovi

plastic bag /'plæstik
bæg/ muovikassi

plate /pleit/ lautanen

platform /'plætfɔ:m/
asemalaituri

platinum /'plætinəm/
platina

play /plei/ näytelmä;
näytellä, leikkiä, pelata;
soittaa (jtk
instrumenttia)

playing-card /'pleiiŋ
ka:d/ pelikortti

please! /pli:z/ olkaa
hyvä! ole kiltti!

please /pli:z/ miellyttää

pleasure /'pleʒə/
mielihyvä

plenty /'plenti/ runsaasti

plug /plʌg/ pistoke

pneumonia /nju:'məuniə/ keuhkokuume

pocket /'pokit/ tasku

pocket-calculator /'pokit 'kælkjuleitə/ taskulaskin

pocket-knife /'pokit naif/ taskuveitsi

poem /'pəuim/ runo

point /point/ piste

poisonous /'poizənəs/ myrkyllinen

police /pə'li:s/ poliisi

policeman /pə'li:smən/ poliisimies

police station /pə'li:s 'steiʃn/ poliisilaitos

polish /'poliʃ/ kiillottaa

polite /pə'lait/ kohtelias

politics /'politiks/ politiikka

pollution /pə'lu:ʃn/ saastuminen

poor /puə/ köyhä

pope /pəup/ paavi

popular /'popjulə/ suosittu

porcelain /'po:səlin/ posliini

pork /po:k/ sianliha

portable radio /'po:təbl 'reidiəu/ matkaradio

portable /'po:təbl/ kannettava

porter /'po:tə/ kantaja, portieeri

portion /'po:ʃn/ annos

possibility /posə'biləti/ mahdollisuus

possible /'posəbl/ mahdollinen

post office /'pəust ofis/ postitoimisto

postage /'pəustidʒ/ postimaksu

postal order /pəust 'o:də/ postiosoitus

postcard /'pəustka:d/ postikortti

poste restante /pəust 'resta:nt/ poste restante

postman /'pəustmən/ postinkantaja

pot /pot/ pata

potato /pə'teitəu/ peruna

potty /'poti/ potta

poultry /'pəultri/ siipikarja

pound /paund/ punta

pour /po:/ kaataa

powder /'paudə/ puuteri

practise /'præktis/ harjoitella

praise /preiz/ ylistää

pray /prei/ rukoilla

prayer /preə/ rukous

precious /'preʃəs/ kallisarvoinen

prefer /pri'fɜ:/ pitää parempana

pregnant /'pregnənt/ raskaana oleva

prejudice /'predʒudis/ ennakkoluulo

premium /'pri:miəm/
super (bensiini)

prepare /pri'peə/
valmistaa

prescription
/pri'skripʃn/ resepti
(lääkemääräys)

preselecting the line
/prisi'lektiŋ ðə lain/
ryhmitys (liikenteessä)

present /'preznt/
nykyinen; läsnäoleva

press /pres/ silittää;
prässätä

pressure /'preʃə/ paine

pretend /pri'tend/
teeskennellä

prevent /pri'vent/ estää,
ehkäistä

price /prais/ hinta

priest /pri:st/ pappi

prince /prins/ prinssi

princess /prin'ses/
prinsessa

print /print/ tulostaa

prison /'prizn/ vankila

private /'praivit/
yksityinen

private accomodation
/'praivit əkomə'deiʃn/
yksityismajoitus

prize /praiz/ palkinto

probably /'probəbli/
todennäköisesti

problem /'probləm/
ongelma

procure /prə'kjuə/
hankkia

product /'prodʌkt/ tuote

profession /prə'feʃn/
ammatti

profit /'profit/ hyöty,
ansio

program /'prəugræm/
ohjelma

progress /'prəugres/
edistys

promise /'promis/
luvata; lupaus

pronounce /prə'nauns/
ääntää

proof /pru:f/ todiste

property /'propəti/
omaisuus

propose /prə'pəus/
ehdottaa

prostitute /'prostitju:t/
prostituoitu

protect /prə'tekt/
suojella

protecting clothes
/prə'tektiŋ kləuðz/
suojapuku

protective helmet
/prə'tektiv 'helmit/
suojakypärä

protestant /'protistənt/
protestantti

proud /praud/ ylpeä

public /'pʌblik/ julkinen

public swimming pool
/'pʌblik 'swimiŋ pu:l/
uimahalli

pull /pul/ vetää

pulsating /pʌl'seitiŋ/
sykkivä

pulse /pʌls/ pulssi

punishment */'pʌniʃmənt/* rangaistus
pure */pjuə/* puhdas
purpose */'pɜ:pəs/* tarkoitus
purse */pɜ:s/* kukkaro

push */puʃ/* työntää, sysätä
put */put/* panna
pyjamas */pə'dʒɑ:məs/* pyjama, yöpuku

Q

quality */'kwoləti/* laatu
quantity */'kwontəti/* määrä
quarrel */'kworəl/* riita
quarter */'kwɔ:tə/* neljännes
quay */ki:/* laituri

question */'kwestʃən/* kysymys
queue */kju:/* jono
quick */kwik/* nopea
quiet */'kwaiət/* rauhallinen
quilt */kwilt/* peite, täkki

R

race */reis/* kilpajuoksu
radiator */'reidieitə/* jäähdytin
radio */'reidiəu/* radio
rag */ræg/* riepu
railway */'reilwei/* rautatie
railway station */'reilwei 'steiʃn/* rautatieasema
rain */rein/* sade; sataa vettä
raincoat */'reinkəut/* sadetakki
raise */reiz/* kohottaa
raisin */'reizn/* rusina
rape */reip/* raiskata
rare */reə/* harvinainen
rash */ræʃ/* ihottuma

raspberry */'rɑ:zbri/* vadelma
rate */reit/* taksa
rather */'rɑ:ðə/* jokseenkin
raw */rɔ:/* raaka
razor */'reizə/* partaveitsi
razor blade */'reizə bleid/* partaterä
reach */ri:tʃ/* yltää, tavoittaa
read */ri:d/* lukea
reading lamp */'ri:diŋ læmp/* lukulamppu
ready */'redi/* valmis
really */'riəli/* todella
reason */'ri:zn/* syy

reasonable /'ri:znəbl/
järkevä
receipt /ri'si:t/ kuitti
receive /ri'si:v/
vastaanottaa
receiver /ri'si:və/
vastaanottaja
recently /'ri:sntli/
äskettäin
receptionist /ri'sepʃnist/
vastaanottoapulainen
recognize /'rekəgnaiz/
tunnistaa
recommend
/rekə'mend/ suositella
record /'rekɔ:d/
äänilevy
record player /'rekɔ:d
'pleiə/ levysoitin
recover /ri'kʌvə/ toipua
rectangular
/rek'tæŋgjulə/
suorakulmainen
red /red/ punainen
red wine /red wain/
punaviini
reduction /ri'dʌkʃn/
vähennys
refer to /ri'fɜ: tə/ viitata
jhk
refill /ri:'fil/ kynänsäiliö
reflect /ri'flekt/
heijastaa
reflector /ri'flektə(r)/
heijastin
refreshment
/ri'freʃmənt/ virkistys

refrigerator
/ri'fridʒəreitə/
jääkaappi
refugee /refju'dʒi:/
pakolainen
refuse /ri'fju:z/ kieltää,
kieltäytyä
regard /ri'ga:d/
tarkastella
registered mail
/'redʒistə:d meil/
kirjattu
registration
/redʒi'streiʃn/
ilmoittautuminen
registration card
/redʒi'steiʃn ka:d/
rekisteriote
registration form
/redʒi'streiʃn fɔ:m/
saapumiskaavake
registration number
/redʒi'steiʃn 'nʌmbə/
rekisterinumero
registration plate
/redʒi'streiʃn pleit/
rekisterikilpi
regret /ri'gret/ katua
regular /'regjulə/
säännöllinen
relation /ri'leiʃn/ suhde
relative /'relətiv/
sukulainen
relax /ri'læks/ rentoutua
religion /ri'lidʒən/
uskonto
remark /ri'ma:k/
huomautus

remember /ri'membə/
muistaa

remove /ri'mu:v/
poistaa

rent /rent/ vuokrata;
vuokra

repair /ri'peə/ korjata

repair shop /ri'peə ʃop/
korjaamo

repeat /ri'pi:t/ toistaa

replace /ri'pleis/
korvata

report /ri'pɔːt/
raportoida; tiedotus

representative
/repri'zentətiv/ edustaja

reputation /repju'teiʃn/
maine

request /ri'kwest/
pyytää

reservation /rezə'veiʃn/
varaus

reserve /ri'zɜːv/ varata

reside /ri'zaid/ asua

respect /ri'spekt/
kunnioitus

responsible
/ri'sponsəbl/
vastuullinen

rest /rest/ levätä; lepo

restaurant /'restront/
ravintola

**restaurant with
dancing** /'restront wið
'da:nsiŋ/
tanssiravintola

restless /'restləs/
levoton

restricted parking
/ri'striktid 'pa:kiŋ/
pysäköintirajoitus

result /ri'zʌlt/ tulos

retired /ri'taiəd/
eläkkeellä oleva

return /ri'tɜːn/
palauttaa, palata; paluu

return ticket /ri'tɜːn
'tikit/ meno-paluulippu;
paluulippu

reward /ri'wɔːd/ palkkio

reversing lights
/ri'vɜːsiŋ laits/
peruutusvalot

revue /ri'vju:/ revyy

rheumatism
/'ru:mətizəm/
reumatismi

rib /rib/ kylkiluu

rice /rais/ riisi

rich /ritʃ/ rikas

ride /raid/ kyyti;
ratsastaa

riding /'raidiŋ/ ratsastus

riding course /'raidiŋ
kɔːs/ ratsastusrata

right /rait/ oikein; oikea

right-hand /rait hænd/
oikeanpuoleinen

ring /riŋ/ sormus; rengas

ripe /raip/ kypsä

risk /risk/ riski

river /'rivə/ joki

river boat /'rivə bəut/
jokilaiva

road /rəud/ katu, tie

road conditions /rəud
kən'diʃns/ keli

road map /rəud mæp/
maantiekartta
road works /rəud
wɜ:ks/ tietyö
roasted /rəustid/
paistettu
robbery /'robəri/ ryöstö
rock /rok/ kallio
roe /rəu/ mäti
roll /rəul/ kääryle
(ruoka); sämpylä
roof /ru:f/ katto
room /ru:m/ huone; tila
room reservation /ru:m
rezə'veiʃn/ huonevaraus
room service /ru:m
'sɜ:vis/ huonepalvelu
root /ru:t/ juuri
rope /rəup/ köysi
rosary /'rəuzəri/
rukousnauha
rose /rəuz/ ruusu
rosé /rozei/ roseeviini
rotten /'rotn/
mädäntynyt

rouge /ru:ʒ/ poskipuna
roulette /ru:'let/ ruletti
round /raund/ pyöreä
roundabout
/'raundəbaut/
liikenneympyrä
row /rəu/ soutaa; rivi
rub /rʌb/ hieroa
rubber /'rʌbə/
(pyyhe)kumi
rubber boots /'rʌbə
bu:ts/ kumisaappaat
rucksack /'rʌksæk/
reppu
ruin /'ru:in/ raunio
rule /ru:l/ sääntö
ruler /'ru:lə/ viivoitin
rumour /'ru:mə/ huhu
run /rʌn/ juosta
rupture /'rʌptʃə/
revähtymä
rust /rʌst/ ruoste
rut /rʌt/ ura (uurre)

S

sad /sæd/ surullinen
safe /seif/ kassakaappi;
turvallinen
safe-deposit box /seif
di'pozit boks/
tallelokero
safety pin /'seifti pin/
hakaneula
safety /'seifti/
turvallisuus

sail /seil/ purjehtia
sailing-boat /'seiliŋ
bəut/ purjevene
sailor /'seilə/ merimies
saint /seint/ pyhimys
salad dressing /'sæləd
'dresiŋ/ salaatinkastike
salad /'sæləd/ salaatti
salami /sə'la:mi/
salamimakkara

salary /'sæləri/ palkka

sale /seil/
alennusmyynti

sale of tickets /seil əv
tikits/ lipunmyynti

sales tax /seils tæks/
liikevaihtovero

salesman /'seilsmən/
myyjä

salmon /'sæmən/ lohi

salt /sɔ:lt/ suola

same /seim/ sama

sanctuary /'sæŋktʃuəri/
pyhättö

sand /sænd/ hiekka

sandals /'sændls/
sandaalit

sandwich /'sænwidʒ/
voileipä

sanitary towel /'sænitri
'tauəl/ terveysside

satin /'sætin/ satiini

satisfied /'sætisfaid/
tyytyväinen

Saturday /'sætədi/
lauantai

sauce /sɔ:s/ kastike

saucer /'sɔ:sə/
teelautanen

sauna /'saunə/ sauna

sausage /'sosidʒ/
makkara

saw /sɔ:/ saha

save /seiv/ säästää,
pelastaa

say /sei/ sanoa

scarf /ska:f/ kaulaliina

school /sku:l/ koulu

science /'saiəns/ tiede

scissors /'sizəz/ sakset

scold /skəuld/ torua

scooter /'sku:tə/
skootteri

scrambled eggs
/'skræmld egs/
munakokkeli

screw /skru:/ ruuvi

screwdriver
/'skru:draivə/
ruuvitaltta

sculptor /'skʌlptə/
kuvanveistäjä

sculpture /'skʌlptʃə/
kuvanveisto

sea /si:/ meri

search /sɜ:tʃ/ etsiä

season /'si:zn/
vuodenaika, sesonki

seasonal price /'si:zənl
prais/ sesonkihinta

seat ticket /si:t 'tikit/
paikkalippu

second /'sekənd/
sekunti

second class /'sekənd
kla:s/ toinen luokka
(esim. junassa)

second-hand /'sekənd
hænd/ käytetty

secret /'si:krit/
salaisuus

seduce /si'dju:s/
vietellä

see /si:/ nähdä

see home /si: həum/
saattaa (joku)

see of /si: of/ saattaa

seldom /'seldəm/
harvoin
self service /self sɜ:vis/
itsepalvelu
sell /sel/ myydä
send /send/ lähettää
sender /'sendə/
lähettäjä
sensitive /'sensətiv/
herkkä
sentence /'sentəns/
tuomio
separate /'seprət/
eronnut, erillinen
September /sep'tembə/
syyskuu
serial ticket /'siəriəl
'tikit/ sarjalippu
serious /'siəriəs/
vakava
serve /sɜ:v/ tarjoilla
service /'sɜ:vis/ palvelu
service station /'sɜ:vis
'steiʃn/ huoltoasema
sew /səu/ ommella
several /'sevrəl/ useat
sex shop /seks ʃop/
seksikauppa
shadow /'ʃædəu/ varjo
shake /ʃeik/ ravistaa
shall /ʃæl/ pitää
shampoo /ʃæm'pu:/
hiustenpesuaine
shape /ʃeip/ muoto
share /ʃeə/ jakaa
sharp /ʃa:p/ terävä
shave /ʃeiv/ ajaa parta;
parranajo

shaver /'ʃeivə/
parranajokone
shaving cream /'ʃeiviŋ
kri:m/ partavaahto
she ʃ /ʃi:/ hän
sheet /ʃi:t/ lakana
shellfish /'ʃelfiʃ/
äyriäinen
shelter /'ʃeltə/ suoja
shine /ʃain/ hohtaa,
paistaa
ship /ʃip/ laiva
shirt /ʃɜ:t/ paita
shock /ʃok/ järkytys,
sokki
shock absorber /ʃok
əb'sɔ:bə/
iskunvaimennin
shoe polish /ʃu: 'poliʃ/
kenkävoide
shoe shop /ʃu: ʃop/
kenkäkauppa
shoe /ʃu:/ kenkä
shoelace /'ʃu:leis/
kengännauha
shoemaker /'ʃu:meikə/
suutari
shoot /ʃu:t/ ampua
shop /ʃop/ myymälä,
liike
shop-assistant /'ʃop
əsistaət/ myyjä
short /ʃɔ:t/ lyhyt
short circuit /ʃɔ:t 'sɜ:kit/
oikosulku
short cut /ʃɔ:t kʌt/
oikotie
shorten /'ʃɔ:tn/ lyhentää
shorts /ʃɔ:ts/ shortsit

shoulder /'ʃəuldə/
hartia, olkapää

shoulder bag /'ʃəuldə
bæg/ olkalaukku

shout /ʃaut/ huutaa

show /ʃəu/ näyttää
(jotakin), osoittaa

shower /'ʃauə/ suihku,
sadekuuro

shrimp /ʃrimp/
katkarapu

shrink /ʃriŋk/ kutistua

shut /ʃʌt/ sulkea kiinni
(suljettu)

shutters /'ʃʌtəs/
ikkunaluukku

shy /ʃai/ ujo

sights /saits/
nähtävyydet

sightseeing tour
/'saitsi:iŋ tuə/
kiertoajelu

sign /sain/ kyltti;
allekirjoittaa

signal /'signəl/
äänimerkki (auton)

signature /'signətʃə/
allekirjoitus

silence /'sailəns/
hiljaisuus

silk /silk/ silkki

silver /'silvə/ hopea,
hopeinen;
hopeanvärinen

silver-plated /'silvə
pleitid/ hopeoitu

simple /'simpl/
yksinkertainen

since /sins/ siitä lähtien

sincere /sin'siə/
vilpitön

sing /siŋ/ laulaa

single /'siŋgl/ naimaton

single room /'siŋgl
ru:m/ yhden hengen
huone

single ticket /'siŋgl
tikit/ menolippu;
yhdensuuntainen
(lippu)

single trip /'siŋgl trip/
meno

sister /'sistə/ sisar

sit /sit/ istua

sit down /sit daun/
istuutua

situation /sitʃu'eiʃn/
tilanne

size /saiz/ koko

size of clothes /saiz əv
kləuðz/ puvunnumero

size of shoes /saiz əv
ʃu:s/ kengännumero

skate /skeit/ luistella

skates /skeits/ luistimet

skating rink /'skeitiŋ
riŋk/ luistinrata

ski /ski:/ hiihtää

ski boots /ski: bu:ts/
monot

ski resort /ski: ri'zɔːt/
hiihtokeskus

skiing equipment
/ski:iŋ i'kwipmənt/
hiihtovarusteet

skiing /ski:iŋ/
hiihtäminen

ski-lift /ski: lift/
hiihtohissi
skill /skil/ taito
skin /skin/ iho, vuota
skin-diving equipment
/skin daiviŋ
i'kwipmənt/
sukellusvälineet
skirt /skɜ:t/ hame
skis /ski:s/ sukset
sky /skai/ taivas
sledge /sledʒ/ reki
sleep /sli:p/ nukkua
sleeping bag /'sli:piŋ
bæg/ makuupussi
sleeping car /'sli:piŋ
ka:/ makuuvaunu
sleeping pill /'sli:piŋ
pil/ unitabletti
sleeve /sli:v/ hiha
slide /slaid/ diakuva
slippers /'slipəs/
tohvelit
slippery /'slipəri/ liukas
sloping /'sləupiŋ/ loiva
slow /sləu/ hidas
small /smɔ:l/ pieni
small change /smɔ:l
tʃeindʒ/ pikkuraha
small town /smɔ:l taun/
pikkukaupunki
smaller /'smɔ:lə/
pienempi
smell /smel/ haju;
haista
smile /smail/ hymyillä
smoke /sməuk/
tupakoida

smoked /sməukt/
savustettu
smokers /'sməukə:s/
tupakkavaunu
smoking compartment
/sməukiŋ
kəm'pa:tmənt/
tupakoivien osasto
smooth /smu:ð/ sileä
smuggle /'smʌgl/
salakuljettaa
snack /snæk/ välipala
snail /sneil/ etana
sneakers /'sni:kə:s/
kumitossut
snore /snɔ:/ kuorsata
snow /snəu/ sataa lunta;
lumi
snowfall /snəufɔ:l/
lumisade
so /səu/ niin
soap /səup/ saippua
soap powder /səup
paudə/ pesujauhe
sober /'səubə/ raitis
socialism /'səuʃəlizəm/
sosialismi
sock /sok/ sukka
socket /'sokit/
pistorasia
soft /soft/ pehmeä
softboiled egg
/softbɔild eg/
pehmeäksi keitetty
kananmuna
soft drink /soft driŋk/
virvoitusjuoma
sold out /səuld aut/
loppuunmyyty

soldier /'səuldʒə/ sotilas

solid /'solid/ kiinteä

somebody /'sʌmbədi/ joku

someone /'sʌmwʌn/ joku

sometimes /'sʌmtaimz/ joskus

somewhere /'sʌmweə(r)/ johonkin

son /sʌn/ poika (jonkun)

song /soŋ/ laulu

soon /su:n/ pian

sorry! /'sori/ anteeksi!

sort /sɔ:t/ laji

soul /səul/ sielu

sound /saund/ ääni

soup /su:p/ keitto

sour /'sauə/ hapan

south /sauθ/ etelä

souvenir /su:və'niə/ matkamuisto

spaghetti /spə'geti/ spaghetti

spare part /speə pa:t/ varaosa

spare wheel /speə wi:l/ vararengas

spark plug /spa:k plʌg/ sytytystulppa

speak /spi:k/ puhua

specialist /'speʃəlist/ erikoislääkäri

speciality /speʃi'æləti/ erikoisala

specimen of blood /'spesimin əv blʌd/ verinäyte

specimen of stools /'spesimin əv stu:ls/ ulostenäyte

spectacles /'spektəkls/ silmälasit

spectator /spek'teitə/ katselija

speech /spi:tʃ/ puhe

speed /spi:d/ nopeus

spend /spend/ kuluttaa, viettää

spice /spais/ mauste

spider /'spaidə/ hämähäkki

spine /spain/ selkäranka

spirits /'spirits/ viina

splendid /'splendid/ loistava

splint /splint/ lasta

spoil /spoil/ hemmotella, pilata

sponge /spʌndʒ/ pesusieni

spoon /spu:n/ lusikka

sport /spɔ:t/ urheilu

sporting goods shop /'spɔ:tiŋ guds ʃop/ urheiluliike

sportscar /'spɔ:tska:/ urheiluauto

sportswear /'spɔ:stweə/ urheiluasu

spot /spot/ kohta; tahra

spouse /spauz/ puoliso

sprain /sprein/ nyrjähdys

spring /spriŋ/ kevät;
jousi; vieteri; lähde

square /skweə/
nelikulmainen; tori

stabbing /stæbiŋ/
viiltävä (kipu)

stadium /'steidiəm/
stadion

staff /sta:f/
henkilökunta

stain remover /stein
ri'mu:və/
tahranpoistoaine

stain /stein/ tahra

stainless steel
/'steinles sti:l/
ruostumaton teräs

stairs /steəz/ portaat

stalls /stɔ:ls/ permanto

stamp /stæmp/
postimerkki

standard price
/'stændəd prais/
normaalihinta

star /sta:/ tähti

start /sta:t/ käynnistää

state /steit/ valtio

station /'steiʃn/ asema
(rautatiea.)

stationer's /'steiʃnəz/
paperikauppa

statue /'stætʃu:/ patsas

stay /stei/ oleskelu;
jäädä, pysyä, viipyä

stay over the night
/stei 'əuvə ðə nait/
yöpyä

stay overnight /stei
əuvənait/ olla yötä

steak /steik/ pihvi

steal /sti:l/ varastaa

steam /sti:m/ höyry

steel /sti:l/ teräs

steep /sti:p/ jyrkkä

steer /stiə/ ohjata
(autoa)

steering wheel /'stiəriŋ
wi:l/ ohjauspyörä

step /step/ askel

sticking plaster /stikiŋ
pla:stə/ haavalaastari

sticks /stiks/ sauvat
(suksis.)

stiff /stif/ jäykkä

sting /stiŋ/ pistää

stink /stiŋk/ löyhkätä

stock /stok/ varasto

stock exchange /stok
ik'stʃeindʒ/ pörssi

stocking /'stokiŋ/ sukka
(pitkä)

stomach /'stʌmək/
vatsa

stomach ache /'stʌmək
eik/ vatsakipu

stone /stəun/ kivi

stop! /stop/ seis!

stop /stop/ pysäyttää,
pysähtyä; pysäkki,
pysähdys

storey /stɔ:ri/ kerros

storm /stɔ:m/ myrsky

story /'stɔ:ri/ kertomus

stove /stəuv/ liesi

straight /streit/ suora

straight on /streit on/
suoraan

strain /strein/ venähdys

strange /'streindʒ/
omituinen; vieras

strap /stræp/ hihna

strawberry /'strɔ:bri/
mansikka

street /stri:t/ katu

strike /straik/ lakko

string /striŋ/ naru

strong /stroŋ/ voimakas

stubborn /'stʌbən/
itsepäinen

student /'stju:dnt/
opiskelija

study /'stʌdi/ opiskella

stupid /'stju:pid/ typerä

stylish /'stailiʃ/ tyylikäs

subject /'sʌbdʒikt/ aihe

subtract /səb'trækt/
vähentää

suburb /'sʌbɜ:b/
esikaupunki

succeed /sək'si:d/
onnistua

such /sʌtʃ/ sellainen

sudden /'sʌdn/
äkillinen

sue /sju:/ haastaa
oikeuteen

suede /sweid/
mokkanahka

suffer /'sʌfə/ kärsiä

sugar /'ʃugə/ sokeri

suggestion /sə'dʒestʃən/
ehdotus

suit /su:t/ sopia (vaate);
puku (miesten)

suitable /'su:təbl/
sopiva

suitcase /'su:tkeis/
matkalaukku

summer /'sʌmə/ kesä

summer time /'sʌmə
taim/ kesäaika

summer vacation
/'sʌmə və'keiʃn/
kesäloma

summit /'sʌmit/ huippu

sun /sʌn/ aurinko

sunbath /'sʌnba:θ/
aurinkokylpy

sunburnt /'sʌnbɜ:nt/
auringon polttama

Sunday /'sʌndi/
sunnuntai

sunglasses
/'sʌngla:siz/
aurinkolasit

sunrise /'sʌnrais/
auringonnousu

sunset /'sʌnset/
auringonlasku

sunshade /sʌnʃeid/
auringonvarjo

sunstroke /'sʌnstrəuk/
auringonpisto

suntan oil /'sʌntæn ɔil/
aurinkööljy

suntanned /'sʌntænd/
ruskettunut

supermarket
/'su:pəma:kit/
valintamyymälä

supper /'sʌpə/ illallinen

support /sə'pɔ:t/ tuki

suppose /sə'pəuz/
olettaa

suppository /sə'pozitri/
peräpuikko
surcharge /'sɜ:tʃa:dʒ/
lisämaksu
sure /ʃuə/ varma
surf board /sɜ:f bɔ:d/
lainelauta
surgery hour /'sɜ:dʒəri 'auə/ vastaanottoaika
surgery /'sɜ:dʒəri/
vastaanotto
surname /'sɜ:neim/
sukunimi
surprise /sə'praiz/
yllätys
surroundings /sə'raundiŋs/ ympäristö
swallow /'swoləu/ niellä
swear /sweə/ vannoa
sweat /swet/ hikoilla
sweater /'swetə/
villapusero
sweet /swi:t/ makea
sweet biscuit /swi:t 'biskit/ pikkuleipä
sweetheart /'swi:tha:t/
kullanmuru
sweets /swi:ts/
makeiset

sweetshop /swi:t ʃop/
makeiskauppa
swelling /'sweliŋ/
turvotus
swim /swim/ uida
swimming cap /'swimiŋ kæp/ uimalakki
swindle /'swindl/
huijata
switch /switʃ/
sähkökosketin,
sähkökatkaisin
switch on /switʃ on/
kytkeä virta
swollen /'swəulən/
paisunut, turvoksissa
sympathetic /simpə'θetik/
myötätuntoinen
symptom /'simptəm/
oire
synagogue /'sinəgog/
synagoga
synthetic /sin'θetik/
synteettinen
system /'sistəm/
systeemi

T

table /'teibl/ pöytä
table cloth /'teibl kloθ/
pöytäliina
tablet /'tæblit/ tabletti
tail lights /teil laits/
takavalot

tailor /'teilə/ räätäli
take /teik/ ottaa
take in /teik in/
kaventaa
take off /teik of/ riisua
tall /tɔ:l/ kookas

tap /tæp/ vesihana
tape recorder /teip ri'kɔ:də/ nauhuri, kasettinauhuri
taste /teist/ maku; maistaa
tax /tæks/ vero
tax-free /tæks fri:/ veroton
taxi /'tæksi/ taksi
tea /ti:/ tee
teach /ti:tʃ/ opettaa
teacher /'ti:tʃə/ opettaja
team /ti:m/ joukkue
tear /teə/ repiä
tear /tiə/ kyynel
tease /ti:s/ kiusata
teaspoon /'ti:spu:n/ teelusikka
telegram /'teligræm/ sähke
telegraph /'teligra:f/ lennätin
telephone /'telifəun/ puhelin
telephone book /'telifəun buk/ puhelinluettelo
telephone exchange /'telifəun ik'stʃeindʒ/ vaihde (puhelinv.)
telescope objective /'teliskəup əb'dʒektiv/ kauko-objektiivi
television /'teliviʒn/ televisio
tell /tel/ kertoa

temperature /'temprətʃə/ lämpötila; lämpö (ihmisestä)
tempt /tempt/ houkutella
tender /'tendə/ murea
tendon /'tendən/ jänne (anat.)
tennis court /'tenis kɔ:t/ tenniskenttä
tennis racket /'tenis 'rækit/ tennismaila
tennis shoes /'tenis ʃu:s/ tennistossut
tension /'tenʃn/ jännitys
tent /tent/ teltta
terrace /'terəs/ terassi
terrible /'terəbl/ hirveä
terry cloth /'teri kloθ/ frotee
terylene /'terəli:n/ teryleeni
test /test/ koe
tetanus /'tetənəs/ jäykkäkouristus
thank /θæŋk/ kiittää
thank you! /θæŋk ju:/ kiitos!
that /ðæt/ että; tuo, joka; se
the first of May /ðə fɜ:st əv mei/ vappu
theatre /'θiətə/ teatteri
their /ðeə(r)/ heidän
then /ðen/ silloin, tuolloin
there /ðeə/ tuolla, siellä
therefore /'ðeəfɔ:/ siksi

thermometer /θə'mɒmitə/
kuumemittari;
lämpömittari
thermostat /'θɜːməstæt/
termostaatti
these /ðiːz/ nämä
they /ðei/ he
thick /θik/ paksu
thief /θiːf/ varas
thigh /θai/ reisi
thin /θin/ ohut
thing /θiŋ/ esine
think /θiŋk/ ajatella
this /ðis/ tämä
thoroughfare /'θʌrəfeə/
läpikulku
those /ðəuz/ nuo
though /ðəu/ vaikka
thought /θɔːt/ ajatus
thread /θred/ lanka
threaten /'θretn/ uhata
thriller /θrilə/
jännityselokuva
throat /θrəut/ kurkku
(anat.)
throat lozenge /θrəut
'lozindʒ/ kurkkutabletti
throat pastille /θrəut
'pæstil/ kurkkupastilli
through /θruː/ läpi
through trip /θruː trip/
läpikulkumatka
throw /θrəu/ heittää
thumb /θʌm/ peukalo
thunder /'θʌndə/
ukkonen
Thursday /'θɜːzdi/
torstai

thus /ðʌs/ siten
ticket /'tikit/
matkalippu
tide /taid/ vuorovesi
tidy /'taidi/ siisti
tie /tai/ solmio; sitoa
tie pin /tai pin/
solmioneula
tight /tait/ ahdas, tiukka
tights /taits/
sukkahousut
till /til/ asti (ajasta)
time /taim/ kerta, aika
timetable /'taimteibl/
aikataulu
timetable for trains
/'taimteibl fə treins/
juna-aikataulu
tin /tin/ tina;
säilykepurkki
tinned food /tind fuːd/
säilykkeet
tin opener /tin 'əupənə/
purkinaukaisin,
tölkinaukaisin
tip /tip/ kärki;
juomaraha
tired /'taiəd/ väsynyt
title /'taitl/ titteli
toast /təust/ paahtoleipä
toaster /'təustə/
leivänpaahdin
tobacco /tə'bækəu/
tupakka
tobacconist's
/tə'bækənist/
tupakkakauppa
today /tə'dei/ tänään

to declare /tə di'kleə/
tullattava

to let /tə let/
vuokrattavana

to the left /tə ðə left/
vasemmalle

to the right /tə ðə rait/
oikealle

toe /təu/ varvas

together /tə'geðə/
yhdessä

toilet /'tɔilit/ wc, vessa,
toaletti

toilet bag /'tɔilit bæg/
meikkilaukku,
toalettilaukku

toilet paper /'tɔilit
'peipə/ vessapaperi

token /'təukən/ rahake

tomato /tə'ma:təu/
tomaatti

tomato juice /tə'ma:təu
dʒu:s/ tomaattimehu

tomato puree
/tə'ma:təu 'pjuərei/
tomaattisose

tomb /tu:m/ hauta

tomorrow /tə'morəu/
huomenna

tongue /tʌŋ/ kieli
(anat.)

tonight /tə'nait/ tänä
yönä, tänä iltana

too /tu:/ liian

too (much) /tu: (mʌtʃ)/
liian paljon

tool /tu:l/ työkalu

tooth /tu:θ/ hammas

tooth paste /tu:θ peist/
hammastahna

toothache /'tu:θeik/
hammassärky

toothbrush /'tu:θbrʌʃ/
hammasharja

top /top/ huippu

torch /tɔ:tʃ/
taskulamppu

touch /tʌtʃ/ koskettaa,
koskea

tour /tuə/ kiertomatka

tourist /'tuərist/ turisti

tourist guide /'tuərist
gaid/ matkaopas

tourist office /'tuərist
'ofis/ matkailutoimisto

towards /tə'wɔ:dz/ kohti

towel /'tauəl/ käsipyyhe,
kylpypyyhe, pyyheliina

tower /'tauə/ torni

town /taun/ kaupunki

toy /toi/ leikkikalu

track /træk/ raide

track suit /træk su:t/
verryttelypuku

traffic /'træfik/ liikenne

traffic light /'træfik lait/
liikennevalo

traffic sign /'træfik
sain/ liikennemerkki

trailer /'treilə/
perävaunu

train /trein/ juna;
harjoitella

tram /træm/ raitiovaunu

tranquillizer
/'træŋkwilaizə/
rauhoittava lääke

transferred charge call
/træns'fɜːd tʃɑːdʒ kɔːl/
vastapuhelu

translate */trænz'leit/*
kääntää (kielit.)

transparency
/træns'pærənsi/
piirtoheitinkalvo

transparent
/træns'pærənt/
läpinäkyvä

travel */'trævl/* matkustaa

travel agency */'trævl
'eidʒənsi/*
matkatoimisto

traveller's cheque
/'trævləz tʃek/
matkasekki

treatment */'triːtmənt/*
kohtelu; hoito

tree */triː/* puu

trim */trim/* tasata
(tukka)

trip to work */trip tə
wɜːk/* työmatka

trouble */'trʌbl/* vaivata

trouble(s) */'trʌbl(z)/*
vaiva

trousers */'trauzəz/*
housut

trout */traut/* taimen

truck */trʌk/*
kuorma-auto

true */truː/* tosi

trust */trʌst/* luottaa

truth */truːθ/* totuus

try */trai/* yrittää

Tuesday */'tjuːzdi/* tiistai

tunnel */'tʌnl/* tunneli

turn around */tɜːn
ə'raund/* kääntyä

turn off */tɜːn of/*
katkaista sähkö

turn on */tɜːn on/* kytkeä
sähkö

turquoise */'tɜːkwɔiz/*
turkoosi

turtle */'tɜːtl/* kilpikonna

tweed */twiːd/* tweed

twice */twais/* kahdesti

typewriter */'taipraitə/*
kirjoituskone

typewriter ribbon
/'taipraitə 'ribən/
kirjoituskoneennauha

typical */'tipikl/*
tyypillinen

typing paper */'taipiŋ
'peipə/*
konekirjoituspaperi

typist */'taipist/*
konekirjoittaja

tyre */'taiə/* autonrengas

U

ugly */'ʌgli/* ruma

ulcer */'ʌlsə/* vatsahaava

umbrella */ʌm'brelə/*
sateenvarjo

U.N. /ju: en/ YK

uncle /'ʌŋkl/ eno, setä

unconscious
/ʌn'konʃəs/ tajuton

under /'ʌndə/ alla

underground
/'ʌndəgraund/ metro;
maanalainen

underpants
/'ʌndəpænts/
alushousut (miesten)

understand
/ʌndə'stænd/ ymmärtää

underwear /'ʌndəweə/
alusvaatteet

undress /ʌn'dres/
riisuutua

unfaithful /ʌn'feiθfl/
uskoton

unfurnished /ʌn'fɜ:niʃt/
kalustamaton

unhappy /ʌn'hæpi/
onneton

United Nations
/ju:'naitid 'neiʃns/
Yhdistyneet
Kansakunnat, YK

university /ju:ni'vɜ:siti/
yliopisto

unknown /ʌn'nəun/
vieras

unlucky /ʌn'laki/
huono-onninen

unpleasant /ʌn'pleznt/
epämiellyttävä

until /ən'til/ kunnes

up /ʌp/ ylhäällä

upbringing /'ʌpbriŋiŋ/
kasvatus

upper berth /'ʌppə
bɜ:θ/ ylävuode

urgent /'ɜ:dʒənt/
kiireellinen

urine /'juərin/ virtsa

use /ju:s/ käyttö;
käyttää

used /ju:st/ käytetty

used to /ju:st tə/
tottunut jhk

useful /'ju:sfl/
hyödyllinen

useless /'ju:sləs/
hyödytön

usually /'ju:ʒəli/
tavallisesti

V

vaccination
/væksi'neiʃn/ rokotus

valley /'væli/ laakso

valuables /'væljuəblz/
arvoesineet

value /'vælju/ arvo

value added tax
/'vælju: ædid tæks/
lisäarvonvero

valve /vælv/ venttiili

van /væn/ pakettiauto

V.A.T. /vi: ei ti:/
lisäarvonvero
VCR /vi:si:a:/
videonauhuri
veal /vi:l/ vasikanliha
vegetables /'vedʒtəblz/
vihannekset
vegetarian
/vedʒi'teəriən/
kasvissyöjä
vein /vein/ laskimo;
suoni
velvet /'velvit/ sametti
Venetian blind /və'ni:ʃn
blaind/ sälekaihdin
vertical /'vɜ:tikl/
pystysuora
vest /vest/ aluspaita
veterinary surgeon
/'vetrinəri 'sɜ:dʒən/
eläinlääkäri
video /'vidiəu/ video
video camera/'vidiəu
kæmərə/ videokamera
videocassette

recorder /'vidiəu kə'set
rikɔ:də/ videonauhuri
videotape /'vidiəuteip/
videonauha
view /vju:/ näköala
village /'vilidʒ/ kylä
village festival /'vilidʒ
'festivl/ kyläjuhla
vinegar /'vinigə/
(viini)etikka
vineyard /'vinjəd/
viinitarha
violet /'vaiələt/ violetti
visa /'vi:zə/ viisumi
visit /'vizit/ vierailu;
vierailla
vitamin /'vitəmin/
vitamiini
voice /vɔis/ ääni (puhe)
voltage /'vəultidʒ/
jännite (sähkön)
vomit /'vomit/ oksentaa
vote /vəut/ äänestää
voucher /'vautʃə(r)/
hotelliseteli

W

waistcoat /'weiskəut/
liivit (miesten)
wait /weit/ odottaa
waiting room /weitiŋ
ru:m/ odotushuone
waitress f, **waiter** m
/'weitris, 'weitə/
tarjoilija
waken /'weikn/ herättää

wake up /weik ʌp/
herätä; herätys;
herättää
walk /wɔ:k/ käydä
kävelyllä; kävely
wall /wɔ:l/ muuri, seinä
wallet /'wolit/ lompakko
war /wɔ:/ sota
wardrobe /'wɔ:drəub/
vaatekaappi

warm /wɔ:m/ lämmin

warn /wɔ:n/ varoittaa

warning /'wɔ:niŋ/ varoitus

warning triangle /'wɔ:niŋ 'traiæŋgl/ varoituskolmio

wash /wɔʃ/ pesu; pestä

wash basin /wɔʃ beisn/ pesuallas

washing /wɔʃiŋ/ pyykki

wash'n'wear /wɔʃ ən weə/ silittämättä siisti

waste time /weist taim/ tuhlata aikaa

watch /wotʃ/ kello; katsella, vartioida

watch strap /wotʃ stræp/ kellonremmi; ranneke

watchmaker /'wotʃmeikə/ kelloseppä

water /'wɔ:tə/ vesi

water fall /'wɔ:tə fɔ:l/ vesiputous

waterproof /'wɔ:təpru:f/ vedenpitävä

wave /weiv/ laine, aalto

way /wei/ tapa

W.C. /'dʌblju: si:/ wc, vessa

we /wi:/ me

weak /wi:k/ heikko

weak heart /wi:k ha:t/ sydänvika

wear /weə/ pitää (vaatteita)

weather /'weðə/ sää

wedding /'wediŋ/ häät

wedding ring /'wediŋ riŋ/ vihkisormus

Wednesday /'wenzdi/ keskiviikko

week /wi:k/ viikko

weekday /'wi:kdei/ arkipäivä

weekend /wi:k'end/ viikonloppu

weep /wi:p/ itkeä

weigh /wei/ painaa

weight /weit/ paino

welcome! /'welkəm/ tervetuloa!

well /wel/ hyvin; kaivo

west /west/ länsi

wet /wet/ märkä

what /wot/ mitä, mikä

wheel /wi:l/ pyörä

wheelchair /'wi:ltʃeə/ pyörätuoli

when /wen/ milloin, kun

where /weə/ missä

wherefrom /'weəfrəm/ mistä

which /witʃ/ kumpi; joka

while /wail/ sillä aikaa

whiskers /'wiskə:z/ poskiparta

whisky /'wiski/ viski

whisper /'wispə/ kuiskaus

whistle /'wisl/ viheltää

white /wait/ valkoinen

white wine /wait wain/ valkoviini

Whitsun /'witsn/
helluntai

who /hu:/ kuka, joka

whole /həul/ ehjä

whose /hu:z/ kenen

why /wai/ miksi

wide /waid/ leveä

widow /'widəu/ leski
(nainen)

widower /'widəuə/ leski
(mies)

wife /waif/ vaimo

wig /wig/ peruukki

will /wil/ tahtoa

win /win/ voittaa

wind /wind/ tuuli

wind surfer /wind
'sɜ:fə/ purjelauta

window /windəu/
ikkuna

windscreen
/'windskri:n/ tuulilasi

windscreen wipers
/'windskri:n 'waipə:s/
tuulilasinpyyhkimet

wine /wain/ viini

wine bar /wain ba:/
viinitupa

wine list /wain list/
viinilista

wine shop /wain ʃop/
viinikauppa

winter /'wintə/ talvi

winter vacation /wintə
və'keiʃn/ talviloma

wintertime /'wintətaim/
talviaika

wire /'waiə/ sähköjohto

wise /waiz/ viisas

wish /wiʃ/ toivoa

with /wið/ kanssa

without /wið'aut/ ilman

witness /'witnis/
todistaja

woman /'wumən/
nainen

wonderful /'wʌndəfl/
ihmeellinen

wood /wud/ puuaines;
metsikkö

woods /wudz/ metsä

wool /wul/ villa

word /wɜ:d/ sana

work /wɜ:k/ työ; tehdä
työtä

working day /wɜ:kiŋ
dei/ työpäivä

workshop /'wɜ:kʃop/
verstas

world /wɜ:ld/ maailma

worn /wɔ:n/ kulunut

worry /'wʌri/ huolehtia

worse /wɜ:s/ huonompi

worth /wɜ:θ/ arvo

worthless /'wɜ:θləs/
arvoton

wound /wu:nd/ haava

wounded /wu:ndid/
haavoittunut

wrapping paper /'ræpiŋ
'peipə/ käärepaperi

wrestling /'restliŋ/ paini

wrist /rist/ ranne

wrist-watch /'rist wotʃ/
rannekello

write /rait/ kirjoittaa

writing pad /'raitiŋ
pæd/ kirjoituslehtiö

writing paper /'raitiŋ peipə/ kirjepaperi

wrong /roŋ/ väärä, väärin

X

x-ray /'eks rei/ röntgenkuva

Y

year /jɜː/ vuosi
yellow /'jeləu/ keltainen
yes /jes/ kyllä
yesterday /'jestədi/ eilen
yet /jet/ kuitenkin, vielä
you /juː/ sinä

you /juː/ te
young /jʌŋ/ nuori
your /jɔː(r)/ sinun
your /yɔː(r)/ teidän
youth /juːθ/ nuoruus
youth hostel /juːθ hostl/ retkeilymaja

Z

zipper /'zipə/ vetoketju
zoo /zuː/ eläintarha

RAVINTOLASANASTO
SUOMI/ENGLANTI

A

ahven perch
akvaviitti aquavit
alkupala appetizer
ananas pineapple
anjovis anchovy
ankerias eel
ankka duck
A-olut strong beer
aperitiivi aperitif

appelsiini orange
appelsiinijuoma
 orangeade
appelsiinimehu orange
 juice
aprikoosi apricot
armanjakki armagnac
artisokka artichoke
avokado avocado

B

banaani banana
basilika basil
brändi brandy

C

chilipippuri chilli
cocktail cocktail

D

drinkki drink

E

elävä ravinto living
 food
endiivi endive
espresso espresso

etana snail
etikka vinegar
etikkakurkku pickled
 cucumber

F

fasaani pheasant
filee fillet
friteerattu deep fried

G

gini gin
glögi mulled and spiced
wine
graavi rawpickled

gratinoitu gratinated,
baked
grillattu grilled

H

hampurilainen
hamburger
hanhenmaksa goose
liver
hanhi goose
haudutettu braised
hauki pike
hedelmä fruit
hedelmäsalaatti fruit
salad
herkkusieni
champignon
herneet peas

hiillostettu barbecued
hirvi elk, moose
homejuusto mouldy
cheese
hummeri lobster
hunaja honey
hunajameloni
honeydew melon
hyytelö jelly
häränliha beef
höyrytetty steamed
höystö sauté

I

idut sprouts
inkivääri ginger

J

jauheliha minced meat
jogurtti yoghurt
juomat beverages
juusto cheese
juustokakku cheesecake
jälkiruoka dessert
jälkiruokaviini dessert
 wine

jänis hare
jäädyke parfait
jääkahvi ice coffee
jäätee ice tea
jäätelö ice-cream
jäätelöannos portion of
 ice-cream
jäävesi ice water

K

kaakao hot chocolate
kaali cabbage
kahvi coffee
kakku cake
kala fish
kalamureke creamed
 fish
kalapullat fish balls
kalkkuna turkey
kampela flounder
kana chicken
kananmuna egg
kananpoika pullet
kaniini rabbit
kantarelli chanterelle
kapris capers
karahvi carafe
karahviviini carafe wine
karamellivanukas
 caramel pudding
karhunvatukka
 blackberry
karpalo cranberry
karppi carp

karviaismarja
 gooseberry
kastike sauce
kasvikset vegetables
kasvisliemi vegetable
 broth
kateenkorva
 sweatbread
katkarapu shrimp
katkero bitters
kaviaari caviar
keitetty boiled
keitetty kananmuna
 boiled egg
keitto soup
keksit biscuits
keltasieni chanterelle
keltasipuli onion
kerma cream
kermajuusto cream
 cheese
kermavaahto whipped
 cream

keskiolut medium
 strength beer
kesäkurpitsa zucchini
ketsuppi ketchup
kevyt light
kieli tongue
kiinankaali Chinese
 cabbage
kinkku ham
kirsikka cherry
kivennäisvesi mineral
 water
kohokas soufflé
kokojyväleipä
 wholemeal bread
kokoliha meat
konjakki cognac

korvasieni morel
kotitekoinen
 homemade
kuha pike-perch
kuiva dry
kukkakaali cauliflower
kuohuviini sparkling
 wine
kuorrutettu gratinated
kurkku cucumber
kurpitsa marrow
kyljys chop
kylmäsavustettu
 cold-smoked
kypsä well done
kääryle roll

L

laatikko casserole
lahna bream
lakka cloudberry
laktoositon lactose-free
lampaanliha mutton,
 lamb
lasillinen a glass of
lehtisalaatti lettuce
leikkeleet cold meats
leipä bread

leivos pastry
liha meat
lihaliemi consommé
lihapullat meat balls
likööri liqueur
limonadi lemonade
lisäke garnish
lohi salmon
luumu plum

M

made burbot
madeira madeira
maissi corn

maissihiutaleet corn
 flakes
maito milk
majoneesi mayonnaise

makaroni macaroni
makea sweet
makeiset sweets
makeutusaine sweetener
makkara sausage
maksa liver
maksapasteija liver paste
mandariini mandarin
mansikka strawberry
manteli almond
marenki meringue
margariini margarine
marinoitu marinated
marmeladi marmelade
mausteet spices
maustekurkku pickled cucumber
maustettu spiced
mehu juice
meirami marjoram
meloni melon
meriantura sole
meriravun pyrstöt prawn tails

mesimarja arctic bramble
metso capercailzie
metsäsieni forest mushroom
mieto mild
mineraalivesi mineral water
minttu mint
muhennos stew
munakoiso aubergine
munakokkeli scrambled eggs
munuaiset kidneys
mureke meat loaf
murot cereals
mustapippuri black pepper
mustaviinimarja black currant
mustikka bilberry, blueberry
mäti roe

N

nahkiainen lamprey
nakki frankfurter
naudanliha beef

nugaa nougat
nuori (viini) young
näkkileipä crisp bread

O

ohukaiset small pancakes

oliivi olive
oliiviöljy olive oil

olut beer
omena apple
omenamehu apple juice

omenaviini cider
oregano oregano
osteri oyster

P

paahtoleipä toast
paahtopaisti roast beef
paistettu fried
paistettu kananmuna fried egg
paloiteltu chopped
pannukakku pancake
paprika paprika
papu bean
pariloitu grilled
parsa asparagus
patonki French bread
pehmeä soft
pekoni bacon
peltopyy partridge
persikka peach
persilja parsley
peruna potato
perunalastut crisps
perunamuhennos mashed potatoes
peura venison
pihvi steak
piimä buttermilk
piirakka pie
pikkelssi pickles
pilsneri mild ale
pinaatti spinach
piparjuuri horseradish

pippuri pepper
pirtelö milkshake
pitsa pizza
porkkana carrot
poro reindeer
poronliha reindeer
porsaankyljys pork chop
porsaanliha pork
portviini port
pullo bottle
punajuuri beetroot
punakaali red cabbage
punakampela plaice
punasipuli red onion
punaviini red wine
punaviinimarja red currant
puolikas half
puolikuiva medium dry
puolikypsä medium
puolukka cowberry, lingonberry
purjosipuli leek
pyy hazel grouse
pähkinä nut
pääruoka main course
päärynä pear

R

raaka rare
raakalihapihvi beef Tartare
raakaravinto raw food
rakuuna tarragon
ranskanperunat chips
raparperi rhubarb
rapu crayfish
rasvaton lean
rasvaton maito skimmed milk
retiisi radish
riekko ptarmigan

riisi rice
riista game
rommi rum
roseeviini rosé
rosépippuri rosé pepper
rosmariini rosemary
ruohosipuli chive
ruokaryyppy schnapps
ruokaöljy cooking oil
rusina raisin
ruusukaali Brussels sprouts
ruusunmarja rose hip

S

salaatti lettuce
samppanja champagne
sardiini sardine
savustettu smoked
sekaleipä brown bread
sekavihannekset mixed vegetables
selleri celery
seläke fillet
sherry sherry
sianliha pork
sienet mushrooms
siideri cider
siika whitefish
sikurisalaatti chicory
silakka Baltic herring
silli herring
simpukka mussel
sinappi mustard

sipuli onion
sisäelimet offals
sitruuna lemon
sitruunajuoma lemonade
snapsi schnapps
sokeri sugar
sokeriton sugar-free
soodavesi soda water
sorsa wild duck
sose purée
spaghetti spaghetti
sulatejuusto buttercheese
suola salt
suolakurkku pickled cucumber
suolaton unsalted
suomuurain cloudberry

sydän heart
sämpylä roll

T

taateli date
taikinoitu in pastry
taimen trout
tartaripihvi beef Tartare
tee tea
teeri black grouse
tilli dill
timjami thyme
tiristetty deep fried
tomaatti tomato
tomaattimehu tomato juice
tomaattisose ketchup

tonnikala tuna fish
torttu pie
tulinen fiery
tumma leipä brown bread
tumma olut stout
tuorejuusto unripened cheese
tuoremehu juice
turska cod
täysmaito whole milk
täyteläinen full
täytetty stuffed

V

vaalea light
vadelma raspberry
vahva olut strong beer
valkoiset pavut haricot beans
valkopippuri white pepper
valkosipuli garlic
valkoturska whiting
valkoviini white wine
vaniljakastike custard
vanukas pudding
vasikanliha veal
vermutti vermouth
vesi water
vesimeloni water melon

vihannekset vegetables
vihanneskeitto vegetable soup
viherpippuri green pepper
vihreät pavut French beans
viikuna fig
viina spirits
viini wine
viinietikka vinegar
viinimarja currant
viinirypäle grape
viljaton not containing grain

virvoitusjuoma soft drink
viski whisky
vohvelit waffles
voi butter
voileipä sandwich
voimakkaanmakuinen spicy
votka vodka
vuohenjuusto goat cheese

vähän paistettu underdone
välipala snack
yrtti herb
yrttijuusto cheese with herbs
yrttilikööri liqueur with herbs

Ä

äyriäiset shellfish

Ö

öljyssä keitetty deep fried

RAVINTOLASANASTO ENGLANTI/SUOMI

A

a glass of lasillinen
almond manteli
anchovy anjovis
aperitif aperitiivi
appetizer alkupala
apple omena
apple juice
  omenamehu
apricot aprikoosi

aquavit akvaviitti
arctic bramble
  mesimarja
armagnac armanjakki
artichoke artisokka
asparagus parsa
aubergine munakoiso
avocado avokado

B

bacon pekoni
baked gratinoitu
Baltic herring silakka
banana banaani
barbecued hiillostettu
basil basilika
bean papu
beef naudanliha,
  häränliha
beef Tartare
  tartaripihvi,
  raakalihapihvi
beer olut
beetroot punajuuri
beverages juomat
bilberry mustikka
biscuits keksit
bitters katkero
black currant
  mustaviinimarja
black grouse teeri
black pepper
  mustapippuri

blackberry
  karhunvatukka
blueberry mustikka
boiled keitetty
boiled egg keitetty
  kananmuna
bottle pullo
braised haudutettu
brandy brändi
bread leipä
bream lahna
brown bread sekaleipä,
  tummaleipä
Brussels sprouts
  ruusukaali
burbot made
butter voi
buttercheese
  sulatejuusto
buttermilk piimä

C

cabbage kaali
cake kakku
capercailzie metso
capers kapris
carafe karahvi
carafe wine
  karahviviini
caramel pudding
  karamellivanukas
carp karppi
carrot porkkana
casserole laatikko
cauliflower kukkakaali
caviar kaviaari
celery selleri
cereals murot
champagne samppanja
champignon
  herkkusieni
chanterelle kantarelli,
  keltasieni
cheese juusto
cheese with herbs
  yrttijuusto
cheesecake
  juustokakku
cherry kirsikka
chicken kana
chicory sikurisalaatti
chilli chilipippuri
Chinese cabbage
  kiinankaali
chips ranskanperunat

chive ruohosipuli
chop kyljys
chopped paloiteltu
cider siideri,
  omenaviini
cloudberry lakka,
  suomuurain
cocktail cocktail
cod turska
coffee kahvi
cognac konjakki
cold meats leikkeleet
cold-smoked
  kylmäsavustettu
consommé lihaliemi
cooking oil ruokaöljy
corn maissi
corn flakes
  maissihiutaleet
cowberry puolukka
cranberry karpalo
crayfish rapu
cream kerma
cream cheese
  kermajuusto
creamed fish
  kalamureke
crisp bread näkkileipä
crisps perunalastut
cucumber kurkku
currant viinimarja
custard vaniljakastike

D

date taateli
deep fried öljyssä
keitetty, tiristetty,
friteerattu
dessert jälkiruoka
dessert wine
jälkiruokaviini

dill tilli
drink drinkki
dry kuiva
duck ankka

E

eel ankerias
egg kananmuna
elk hirvi

endive endiivi
espresso espresso

F

fiery tulinen
fig viikuna
fillet seläke, filee
fish kala
fish balls kalapullat
flounder kampela
forest mushroom
metsäsieni
frankfurter nakki
French beans vihreät
pavut

French bread patonki
fried paistettu
fried egg paistettu
kananmuna
fruit hedelmä
fruit salad
hedelmäsalaatti
full täyteläinen

G

game riista
garlic valkosipuli
garnish lisäke

gin gini
ginger inkivääri

goat cheese
  vuohenjuusto
goose hanhi
goose liver
  hanhenmaksa
gooseberry
  karviaismarja
grape viinirypäle

gratinated kuorrutettu,
  gratinoitu
green pepper
  viherpippuri
grilled pariloitu,
  grillattu
grilled grillattu

H

half puolikas
ham kinkku
hamburger
  hampurilainen
hare jänis
haricot beans valkoiset
  pavut
hazel grouse pyy
heart sydän

herb yrtti
herring silli
homemade
  kotitekoinen
honey hunaja
honeydew melon
  hunajameloni
horseradish piparjuuri
hot chocolate kaakao

I

ice coffee jääkahvi
ice tea jäätee
ice water jäävesi

ice-cream jäätelö
in pastry taikinoitu

J

jelly hyytelö
juice (tuore)mehu

K

ketchup tomaattisose,
ketsuppi
kidneys munuaiset

L

lactose-free
laktoositon
lamb lampaanliha
lamprey nahkiainen
lean rasvaton
leek purjosipuli
lemon sitruuna
lemonade limonadi;
sitruunajuoma
lettuce (lehti)salaatti
light vaalea; kevyt

lingonberry puolukka
liqueur likööri
liqueur with herbs
yrttilikööri
liver maksa
liver paste
maksapasteija
living food elävä
ravinto
lobster hummeri

M

macaroni makaroni
madeira madeira
main course pääruoka
mandarin mandariini
margarine margariini
marinated marinoitu
marjoram meirami
marmelade marmeladi
marrow kurpitsa
mashed potatoes
perunamuhennos
mayonnaise majoneesi
meat (koko)liha
meat balls lihapullat

meat loaf mureke
medium puolikypsä
medium dry puolikuiva
medium strength beer
keskiolut
melon meloni
meringue marenki
mild mieto
mild ale pilsneri
milk maito
milkshake pirtelö
minced meat jauheliha

mineral water
mineraalivesi,
kivennäisvesi
mint minttu
mixed vegetables
sekavihannekset
moose hirvi
morel korvasieni

mouldy cheese
homejuusto
mulled and spiced
wine glögi
mushrooms sienet
mussel simpukka
mustard sinappi
mutton lampaanliha

N

not containing grain
viljaton

nougat nugaa
nut pähkinä

O

offals sisäelimet
olive oliivi
olive oil oliiviöljy
onion (kelta)sipuli
orange appelsiini
orange juice
appelsiinimehu

orangeade
appelsiinijuoma
oregano oregano
oyster osteri

P

pancake pannukakku
paprika paprika
parfait jäädyke
parsley persilja
partridge peltopyy
pastry leivos
peach persikka
pear päärynä
peas herneet
pepper pippuri

perch ahven
pheasant fasaani
pickled cucumber
suolakurkku
pickled cucumber
maustekurkku,
etikkakurkku
pickles pikkelssi
pie piirakka; torttu
pike hauki

pike-perch kuha
pineapple ananas
pizza pitsa
plaice punakampela
plum luumu
pork sianliha,
  porsaanliha
pork chop
  porsaankyljys
port portviini

portion of ice-cream
  jäätelöannos
potato peruna
prawn tails meriravun
  pyrstöt
ptarmigan riekko
pudding vanukas
pullet kananpoika
purée sose

R

rabbit kaniini
radish retiisi
raisin rusina
rare raaka
raspberry vadelma
raw food raakaravinto
rawpickled graavi
red cabbage punakaali
red currant
  punaviinimarja
red onion punasipuli
red wine punaviini
reindeer poro,
  poronliha

rhubarb raparperi
rice riisi
roast beef paahtopaisti
roe mäti
roll sämpylä; kääryle
rosé roseeviini
rose hip ruusunmarja
rosé pepper
  rosépippuri
rosemary rosmariini
rum rommi

S

salmon lohi
salt suola
sandwich voileipä
sardine sardiini
sauce kastike
sausage makkara
sauté höystö

schnapps ruokaryyppy,
  snapsi
scrambled eggs
  munakokkeli
shellfish äyriäiset
sherry sherry
shrimp katkarapu

skimmed milk rasvaton
maito
small pancakes
ohukaiset
smoked savustettu
snack välipala
snail etana
soda water soodavesi
soft pehmeä
soft drink
virvoitusjuoma
sole meriantura
soufflé kohokas
soup keitto
spaghetti spaghetti
sparkling wine
kuohuviini
spiced maustettu
spices mausteet
spicy
voimakkaanmakuinen

spinach pinaatti
spirits viina
sprouts idut
steak pihvi
steamed höyrytetty
stew muhennos
stout tumma olut
strawberry mansikka
strong beer vahva olut,
A-olut
stuffed täytetty
sugar sokeri
sugar-free sokeriton
sweatbread
kateenkorva
sweet makea
sweetener
makeutusaine
sweets makeiset

T

tarragon rakuuna
tea tee
thyme timjami
toast paahtoleipä
tomato tomaatti
tomato juice
tomaattimehu

tongue kieli
trout taimen
tuna fish tonnikala
turkey kalkkuna

U

underdone vähän
paistettu
unripened cheese
tuorejuusto
unsalted suolaton

V

veal vasikanliha
vegetable broth
kasvisliemi
vegetable soup
vihanneskeitto
vegetables kasvikset,
vihannekset

venison peura
vermouth vermutti
vinegar (viini)etikka
vodka votka

W

waffles vohvelit
water vesi
water melon vesimeloni
well done kypsä
whipped cream
kermavaahto
whisky viski
white pepper
valkopippuri

white wine valkoviini
whitefish siika
whiting valkoturska
whole milk täysmaito
wholemeal bread
kokojyväleipä
wild duck sorsa
wine viini

Y

yoghurt jogurtti
young nuori (viini)

Z

zucchini kesäkurpitsa

ASIOIMISLAUSEET

MATKUSTAMINEN

Paljonko maksaa lippu ...?	How much is the fare to ...?
Milloin lähtee seuraava lentokone/juna/ bussi ...?	When is the next plane/ train/bus to ...?
Onko minulla vaihtoyhteys ...?	Can I make a connection to ...?
Onko junassa ravintolavaunu?	Is there a dining-car on the train?
Onko tämä paikka vapaa?	Is this seat free?
Milloin me saavumme ...?	What time do we get to ...?

RAVINTOLASSA

Voitteko suositella hyvää/halpaa ravintolaa?	Can you recommend a good/inexpensive restaurant?
Haluaisin varata ... hengen pöydän kello ...	I would like to reserve a table for.. for ... o'clock.
Onko tämä pöytä varattu?	Is this table taken?
Mikä on teidän erikoi- suutenne?	What is your speciality?

Haluaisin ...	I would like ...
Olen jo tilannut.	I have already ordered.
Sisältyykö palvelu/kaikki hintaan?	Is service/everything included?
On minun vuoroni.	It is my round.

HOTELLISSA

Haluaisin yhden/kahden hengen huoneen ... yöksi.	I would like a single/ double room for ... night/nights.
Missä kerroksessa se on?	What floor is it on?
Voisinko nähdä huoneen?	May I see the room?
Missä on kylpyhuone/WC?	Where is the bathroom/toilet?
Sisältyykö hintaan aamiainen?	Does the price include breakfast?
Milloin on aamiainen/lounas/ päivällinen?	When do you serve breakfast/lunch/dinner?
Saanko huoneen numero ... avaimen.	The key for number ... please.
Voinko jättää tämän kassakaappiinne?	May I leave this in your safe?

Minne voin pysäköidä autoni? — Where can I park my car?

Voisitteko siivota huoneeni? — Could you do my room now, please?

Haluaisin soittaa ... — I'd like to make a call to ...

Saisinko laskuni? — Can I have my bill, please?

Haluaisin, että tämä silitettäisiin. — I'd like this pressed.

Voitteko poistaa tämän tahran? — Can you get this stain out?

Voitteko hankkia minulle ...? — Can you get me ...?

Herätättekö minut kello ...? — Will you call me at ... o'clock?

Voitteko yhdistää minut tähän numeroon? — Can you get me this number?

Missä voin vaihtaa rahaa? — Where can I change money?

Voisitteko tilata minulle taksin? — Order me a taxi, please.

AUTO

Haluan . . . litraa tavallista/superia/ lyijytöntä.	I want . . . litres of standard/premium/ unleaded.
Täyttäisittekö tankin?	Would you fill her up, please?
Voisitteko tarkistaa renkaat/akun/öljyn/ veden?	Would you check the tyres/battery/oil/water?
Voisitteko pestä ja puhdistaa auton?	Can you wash and clean the car?
Autoni ei starttaa.	My car will not start.
Jotakin on vialla . . .	Something is wrong with . . .
Minulta on rengas rikki.	I have a flat tyre.
Voitteko hinata minut?	Can you give me a tow?
Voitteko korjata autoni?	Can you repair my car?
Kauanko se kestää?	How long will it take?
Onko autoni valmis?	Is my car ready?

SUUNNAT

Missä on ...?	Where is ...?
Olen eksynyt.	I have lost my way.
Missä minä olen tällä kartalla?	Where am I on this map?
Ensimmäinen/toinen katu oikealle/ vasemmalle.	First/second street on the right/left.
Kuinka kaukana on ...?	How far is it to ...?
Millä bussilla minä pääsen ...?	What bus do I take to ...?
Olkaa hyvä, pysähtykää tähän.	Stop here, please.
Minulla on kiire.	I am in a hurry.

OSTOKSILLA

Milloin kaupat ovat auki/kiinni?	When do the shops open/close?
Haluaisin ...	I would like ...
Onko teillä ...n levyjä?	Have you any records by ...?
Saanko kuunnella tätä levyä?	Can I listen to this record?

Voinko koettaa tätä/ näitä?	Can I try this/these on?
Minun numeroni on . . .	I'll take size . . .
Se on liian pitkä/lyhyt/ tiukka/väljä.	It is too long/short/ tight/loose.
Otan sen.	I'll take it.
Paljonko se maksaa?	How much is that?
Onko teillä halvempaa?	Have you something cheaper?
Minne voin maksaa?	Where do I pay?
Voinko saada kuitin?	Can I have a receipt, please?
Voinko maksaa matkašekillä/luotto- kortilla?	Do you take traveller's checks/credit cards?
Milloin se on valmis?	When will it be ready?

YSTÄVÄT

Hauska tavata.	I am pleased to meet you.
Mitä kuuluu?	How are you?
Mikä teidän nimenne on?	What is your name?
Nimeni on . . .	My name is . . .

Mistä olette?	Where do you come from?
Oletteko ensimmäistä kertaa täällä?	Is this your first visit here?
Puhutteko te englantia/ espanjaa/italiaa/ranskaa/saksaa?	Do you speak English/Spanish/Italian/French/German?
Minä en puhu ...	I do not speak ...
Viivyn täällä ... päivää.	I am staying here for ... days.
Missä me tapaamme? Mihin aikaan?	Where shall we meet? What time?
Missä te asutte?	Where do you live?
Asun hotelli ...	I am at hotel ...
Mikä on teidän puhelinnumeronne?	What is your telephone number?
Saanko saattaa teidät kotiin?	May I take you home?
Tavataan myöhemmin.	See you later.
Saanko tarjota teille drinkin?	May I buy you a drink?

AIKA

Paljonko kello on?	What time is it?
Kello on yksi.	It is one o'clock.
Kello on kaksi.	Two o'clock.
Viisi minuuttia yli kaksi.	Five minutes past two.
Neljännestä yli kaksi.	A quarter past two.
Kaksikymmentäviisi minuuttia yli kaksi.	Twenty-five minutes past two.
Puoli kolme.	Half past two.
Kaksikymmentäviisi minuuttia vailla kolme.	Twenty-five minutes to three.
Neljännestä vailla kolme.	A quarter to three.
Viisi minuuttia vailla kolme.	Five minutes to three.

LEIRINTÄ

Voinko leiriytyä tänne?	Can I camp here?
Mikä on maksu autolta/asuntovaunulta/teltalta/aikuiselta/lapselta?	What is the charge per car/caravan/tent/adult/child?

**Voinko jättää
asuntovaununi tähän?** — Can I park my caravan
here?

Onko täällä kauppa? — Is it possible to shop
here?

Voiko täällä uida? — Is it possible to swim
here?

Voiko vettä juoda? — Is the water safe to drink?

KAMPAAJALLA

**Haluaisin
tukanleikkuun.** — I'd like my hair cut,
please.

**Ei liian
pitkäksi/lyhyeksi.** — Not too long/short.

**Haluaisin pesun ja
kampauksen.** — I'd like a shampoo and
set.

**Haluaisin
permanentin.** — I'd like a perm.

En halua lakkaa. — I don't want any lacquer
on it.

**Haluaisin
värihuuhtelun.** — I'd like a colour rinse.

LÄÄKÄRINAPU

Kutsukaa lääkäri.	Send for a doctor.
Voitteko kirjoittaa reseptin . . .?	Can you prescribe . . .?
Minulla on kipeä . . .	I have a pain in the . . .
Minua huimaa/pyörryttää.	I feel dizzy/faint.
Minulla on hammassärkyä.	I have toothache.
Haluan jotakin yskään/ kipeään kurkkuun/ ruoansulatusvaivoihin.	I want something for a cough/a sore throat/ indigestion.

YLEISTÄ

Voisitteko auttaa minua?	Could you help me?
Mitä . . . merkitsee?	What does . . . mean?
Mikä tämä on englanniksi/espanjaksi/italiaksi/ranskaksi/saksaksi?	What do you call this in English/Spanish/Italian/ French/German?
Voisitteko toistaa?	Would you repeat?
En ymmärrä.	I do not understand.
Puhukaa hitaasti.	Speak slowly, please.

Voisitteko kirjoittaa sen?	Will you write it down for me?
En tiedä.	I do not know.
Olen kadottanut . . .	I have lost my . . .
Saanko käyttää puhelintanne?	May I use your phone?
Hetkinen.	Just a moment.
Paljonko maksaa postikortti/kirje . . . ?	How much is a postcard/letter to . . . ?
Anteeksi?	Pardon?
Ei se mitään.	Not at all.

MUISTIINPANOJA

*Seuraaville sivuille on varattu tilaa
omille muistiinpanoille.*

(Esim.: kenelle lähetän lomaterveiset; kenelle mitäkin tuliaisia; päivä/viikko/reittisuunnitelmani; lempiravintolani; ruoat jotka haluan muistaa; mieleenpainuvimmat elämykseni; lomatuttavuuksien osoitetiedot ym. ym.)